Dictionnaire
des vins
et vignobles
de France

Pierre Ripert

Dictionnaire des vins et vignobles de France

Savoir déguster le vin
Savoir faire le vin
Cépages, AOC, VDQS
Mariage des mets et des vins
Composer sa cave...

Ouvrage réalisé par les
Éditions de la Seine
Direction : Alexandre Falco
Responsable des publications : Françoise Orlando-Trouvé
Responsable édition-fabrication :
Marie-Cécile Jouhaud

Avant-propos

Le vin est l'un des plaisirs de la vie, plaisir décuplé quand on sait le boire, le déguster, l'apprécier, bref, quand on le connaît.

Vous faire connaître, entre cépages et appellations, la grande richesse des vignobles français, c'est le but de ce dictionnaire, qui raconte, depuis l'Antiquité jusqu'à nos jours, l'histoire du vin ; qui explique, depuis la grappe de raisin jusqu'au débouchage de la bouteille, la vinification, cette alchimie qui transforme un jus un peu acide en un nectar pour le palais.

Conseils de dégustation, conseils pour marier les mets et les vins, conseils pour choisir et garder les vins à sa convenance...

Laissez-vous mettre le vin à la bouche, et partez, pour un voyage aussi gourmand qu'instructif, à la rencontre des vignobles et des vins de France, avec ce dictionnaire-guide.

Histoire, culture et techniques

La vigne, le raisin et le vin

ALCOOL

L'alcool représente environ 10 % du vin (voir *Composition du vin*, p. 27). C'est de l'alcool éthylique, provenant de la fermentation de certains sucres contenus dans le moût, lequel est soumis à l'action de levures qui décomposent le sucre en alcool et en gaz carbonique.

Le degré d'alcool d'un vin, généralement porté sur sa bouteille, est en réalité le volume d'alcool qu'il contient : de 8,5 % à 15 % (une bouteille portant sur son étiquette la mention 12 % contient 12 % de son volume en alcool).

Ce taux d'alcool dépend du taux de sucre dans le moût (100 g de sucre de raisin donnent en moyenne 48 g d'alcool et 46 g de gaz carbonique, et la fermentation de 18 g de sucre donne 1° d'alcool pour 1 l de vin) ; selon l'ensoleillement dont a bénéficié la vigne avant sa vendange, le moût sera plus ou moins sucré. Aussi, pour augmenter la teneur en alcool du vin qu'il va donner, on lui rajoute du sucre (voir *Chaptalisation*, p. 25) ou du moût plus concentré. Pour augmenter la teneur en alcool de 1°, il faut, comme indiqué plus haut, 18 g de sucre. La loi réglemente ces apports en sucre.

Degré moyen d'alcool :
- *Vins* : 8,5 à 15°
- *Vermouths* : 15 à 18°
- *Anisette* : 26 à 30°
- *Cointreau* : 40°
- *Arquebuse* : 43°
- *Chartreuse jaune* : 43°
- *Izarra jaune* : 43°
- *Pastis* : 45°
- *Armagnac* : 40 à 60°
- *Genièvre* : 40 à 60°
- *Kirsch* : 40 à 60°
- *Vins de liqueur* : 15 à 22°
- *Cassis* : 20 à 30°
- *Cherry* : 30 à 35°
- *Grand Marnier* : 40°
- *Bénédictine* : 43°
- *Chartreuse verte* : 55°
- *Izarra verte* : 51°
- *Rhums* : 44 à 50°
- *Cognac* : 40 à 60°
- *Gin* : 40 à 60°
- *Whisky* : 40 à 60°

AOC

Appellation d'origine contrôlée. Les AOC proviennent de terroirs strictement sélectionnés. Leurs conditions de production sont déterminées par l'INAO (voir p. 38) et sont officialisées par décrets de production. Elles portent sur différents critères, notamment une aire de production délimitée, la viticulture (taille réglementée) et la vinification, un rendement maximum, un degré alcoolique minimal, l'encépagement, parfois les conditions de vieillissement… Si le rendement est dépassé, le surplus peut être déclassé. La chaptalisation est soit contrôlée, soit interdite (pour les AOC du Sud).

Tous les vins prétendant à l'appellation d'origine contrôlée sont soumis à un examen annuel avant d'être officiellement agréés par l'INAO.

ASSEMBLAGE

Action de mélanger du jus ou des vins de même origine.

BLANC *(vin)*

Le vin blanc est obtenu avec des raisins blancs ou des raisins rouges à jus blanc. Les raisins ne sont pas foulés, comme pour les vins rouges, mais directement pressurés. Le moût est immédiatement séparé des éléments de pigmentation (peaux, etc.) pour éviter la coloration par macération. Suivant le taux de transformation de sucre en alcool, le vin blanc est dit *sec*, *doux* ou *demi-sec* et *liquoreux*. Ainsi, en laissant la fermentation transformer tous les sucres, on obtient un blanc sec, en arrêtant la fermentation pour garder du sucre, on obtient un blanc doux...

BLANC DE BLANCS *(vin)*

Un vin blanc de blancs provient de raisins blancs exclusivement. Les blancs de blancs les plus connus sont les *champagnes*, produits par le chardonnay, qui donne également les *bourgognes* blancs.

BLANC DE NOIRS *(vin)*

Un vin blanc de noirs provient de raisins rouges à jus blanc.

BONDE

Bouchon, autrefois en bois, qui sert à fermer l'orifice des tonneaux.

BOTRYTIS CINEREA

Nom savant de la pourriture noble (voir *Vendanges tardives*, p. 61). Le *Botrytis cinerea*, pour des raisons climatiques, se développe surtout dans le Bordelais (*sauternes, barsac, monbazillac*) et dans le Val de Loire (*quarts-de-chaume, bonnezeaux, vouvray, coteaux-du-Layon*). Ce champignon, en se développant à leur surface, augmente la concentration en sucre des raisins.

BOUILLIE BORDELAISE *(ou bourguignonne)*

La bouillie bordelaise ou bourguignonne est un mélange de sulfate de cuivre et de cristaux de soude dilués dans de l'eau que l'on pulvérise sur les feuilles de vigne contre le *mildiou*.
Voir *Mildiou* (p. 42).

BOUTEILLES *(formes et contenances)*

- *Balthazar* : bouteille d'une contenance de 12 l (contient généralement du champagne).
- *Clavelin* : bouteille trapue d'une contenance de 63 cl (contient généralement du vin jaune du Jura).
- *Dame-jeanne* : bonbonne de verre d'une contenance de 20 à 50 l, entourée d'osier ou de paille.
- *Impériale* : bouteille d'une contenance de 6 l (contient généralement du bordeaux).
- *Jéroboam* : bouteille d'une contenance de 3 l (contient généralement du champagne).
- *Magnum* : bouteille d'une contenance de 1,5 l.
- *Mathusalem* : bouteille d'une contenance de 6 l, comme l'impériale.
- *Nabuchodonosor* : bouteille d'une contenance de 15 l.
- *Réhoboam* : bouteille d'une contenance de 4,5 l.

– *Salmanazar* : bouteille d'une contenance de 9 l.
La bouteille de vin traditionnelle contient, elle, 75 cl.

BOUTEILLES *(mise en)*

Dans les fûts, sous l'influence de l'oxygène de l'air, le vin subit des modifications d'où résulte un affinement croissant jusqu'à une certaine limite au-delà de laquelle il perd ses qualités. C'est à ce moment-là qu'il faut le mettre en bouteilles pour le soustraire à l'influence de l'air. L'opération varie selon les crus, les traitements suivis par le vin, l'année de récolte… Un vin blanc peut être mis en bouteilles au bout de six mois de fût seulement, un bordeaux pas avant trois ans… Avant l'industrialisation, on procédait à la mise en bouteilles par temps clair, à haute pression atmosphérique, de novembre à mars de préférence.

On fermait avec des bouchons de liège que, la veille, on avait fait bouillir quelques minutes dans de l'eau additionnée d'un peu de vin, et qu'on retrempait dans le vin juste avant de les enfoncer dans le goulot. Le bouchon de liège était à son tour protégé par un bouchon de cire, bleu pour les bourgognes, jaune pour les vins blancs, rouge pour les bordeaux, vert pour les vins ordinaires…

BRUT

Un vin brut est un vin effervescent (champagne, mousseux…) peu sucré (teneur en sucre résiduel inférieure à 15 g par litre).

CEP

Le cep (du latin *cippus*, tronc d'arbre, souche, puis palissade) désignait autrefois un instrument de torture dans lequel on attachait les pieds de l'accusé ! Dans l'Antiquité, c'était le bâton, en bois de vigne, qui était l'insigne des centurions, et dont ils se servaient pour frapper les légionnaires indisciplinés ou fautifs. C'est, de nos jours, resté un pied de vigne. Il partage sa racine latine avec un champignon, le *cèpe*, nom vulgaire du bolet comestible.

CÉPAGE

Le cépage est le plant de vigne, alors que le cep est son pied. Le cépage s'applique aux espèces ou variétés de vignes cultivées. Le nombre des cépages répandus sur le globe est considérable, mais souvent une variété est désignée par plusieurs noms, selon les localités où on la cultive.

La qualité du vin est liée au cépage, et à son osmose avec le climat et la géologie de l'endroit où il pousse. Un *gamay* du Beaujolais n'a pas le même goût qu'un *gamay* de Touraine. On trouve plus de 100 cépages dans les AOC françaises (pour obtenir le label AOC, il faut utiliser des cépages réglementés par l'INAO ; la loi précise lesquels, selon les régions).

Certains cépages donnent des raisins de table dont les grappes sont bonnes à croquer, mais pas dignes de faire un bon vin ; d'autres donnent uniquement des raisins de cuve.

Les cépages, selon les terroirs, peuvent être complémentaires.

Pour identifier un cépage, on lui applique quatre critères principaux :

– sa teneur en sucre qui diffère suivant le type ;

– son acidité ;

– son arôme ;

– sa teneur en tanin (pour les raisins rouges).

CÉPAGES FRANÇAIS *(avant le phylloxéra)*

Selon Caton l'Ancien (–234~–149) qui, avant de réclamer la ruine de Carthage (où l'on cultivait aussi la vigne), écrivit un traité d'agriculture, les vignerons romains n'utilisaient que huit sortes (cépages) de raisins. Au XIXe siècle, lorsque le rationalisme devint à la mode, on tenta de classer les cépages en fonction des caractères du bois et des feuilles de vigne, de la forme, de la couleur et de la grosseur des raisins, de l'époque de la maturité, de la richesse en sucre et en alcool, du lieu de provenance…

Arriva le phylloxéra qui ravagea, à la fin du XIXe siècle, le vignoble français. Les vignerons greffèrent alors leurs cépages sur des porte-greffes (racines) de variété américaine, plus résistants au fléau.

Voici les principaux cépages que l'on trouvait en France vers 1870, que souvent l'on a gardés lorsque la greffe, sur les pieds américains, ne leur a pas fait perdre saveur et qualités (liste d'après l'*Ampélographie universelle* du comte Odart ; son orthographe des cépages, qui peut varier avec l'actuelle, a été respectée) :

Gironde. Parmi les cépages à vin rouge, le *cabernet*, le *verdot*, qui donnait belle couleur, bouquet agréable et bonne conservation ; le *merlot*, estimé mais à la maturité plus hâtive ; le *malbeck*, à vin coloré d'assez bon goût ; le *tarnez-coulant*, peu vigoureux mais donnant une récolte abondante et de bonne qualité ; le *cauny*, très vigoureux mais peu fertile ; le *hourca*, tardif, mais bon et de bonne garde ; le *bordelais*, très productif mais d'une qualité inférieure aux précédents. Parmi les cépages à raisins blancs, dont les vins étaient souvent confondus sous le nom de *sauternes*, le *chevrier*, ou *colombar*, robuste, productif, à raisins d'un goût agréable, légèrement parfumés, donnant un vin qui avait beaucoup de corps ; le *sauvignon*, ou *surin*, qui présentait plusieurs sous-variétés, à fruits très délicats, et qu'Henri IV aimait boire ; la *musquette* ou *guilin muscat*, fertile et hâtive ; le *blanc doux*, à raisin fin et sucré, qu'on ajoutait aux précédents pour blanchir le vin et lui donner un goût plus délicat.

Poitou-Charentes. Vins rouges : le *chauché noir* ou *pineau du Poitou*, sujet aux gelées printanières, mais qui donnait un vin généreux, coloré, parfois liquoreux ; le *chauché gris*, de maturation inégale et sujet à pourrir ; la *folle-noire*, cépage le plus cultivé de tous, bien que de qualité inférieure, parce que très productif ; le *balzac*, sans doute une sous-qualité du *mourvède* de Provence ; le *marocain* ou *ulliade*, à la saveur relevée et agréable ; le *grifforin*, que l'on ajoutait aux précédents pour la vinification. Vins blancs : la *folle-blanche*, qui donnait l'eau-de-vie de *Cognac* ; le *colombar*, de faible rendement, mais de qualité supérieure ; la *chalosse*, tardive, mais peu sujette aux gelées, donnant un vin médiocre ; le *saint-pierre*, très vigoureux, tardif ; le *guilin muscat*, donnant un vin de très bonne qualité dans les sols convenables, à condition d'attendre son extrême maturité ; le *cognac*, à grains allongés, productif dans les bonnes années.

Loire. Parmi les *pineaux* de Loire, le *gros pineau*, ou *chenin*, était l'un des cépages les plus cultivés de France, à cause de l'abondance et de la qualité de ses produits, et exporté en Belgique et en Hollande ; le *petit pineau* rendait les vins plus doux et plus liquoreux ; le *pineau noir*, très productif, d'une maturité tardive ; le *pineau d'Aunis*, ou *chenin noir*, bien préférable au précédent.

À ces cépages, on rattachait ceux des vignes d'Amérique, dont le *raisin Isabelle*, assez productif, mais de médiocre qualité, le *scupernong*, à la réputation usurpée, le *katawba*, bien supérieur aux précédents, mais peu productif et de maturité tardive, et enfin le *raisin de Vorlington*, ou *york's-madeira*, aux petits grains à la saveur vineuse, relevée, qui donnait un vin estimé des Américains.

Bourgogne-Côtes du Rhône-Auvergne-Centre. Les *pineaux* occupent le premier rang parmi les cépages de cette région. Ils forment la base des vignobles les plus renommés. Dans le Midi, ils sont à peine connus, ce qui tient surtout à leur faible rapport, à leur nature délicate et à leur entretien dispendieux. Le *pineau franc*, appelé aussi *noirien*, *auvernat noir*, *orléans*, *plant noble*, *salvagnin noir*... donne un vin d'une couleur vive assez foncée ; le *pineau du Jura* donne un vin excellent, d'un bouquet agréable et de bonne garde ; le *plant meunier* ou *plant de Brie*, fertile et hâtif, est inférieur comme qualité ; le *pineau mauret* ou *tête de nègre*, autrefois très estimé, s'est fait rare dans les vignobles ; le *noir menu* ou *petit noir* est productif, mais peu vigoureux ; le *pineau rougin*, qui ne se trouve que dans les vignes des premiers crus de Bourgogne, produit un raisin fort agréable à manger et un vin léger et parfumé.

Après les *pineaux noirs* viennent ceux de couleur intermédiaire, entre autres : le *pineau gris* ou *auxois*, très estimé au XVIIIe siècle sous le nom de *fromentot* ; le *pineau blanc* ou *noirien blanc*, appelé aussi *chardonai* ou *chaudenai*, qui contribue beaucoup à la haute qualité des meilleurs vins blancs de Bourgogne ; le *plan de Tonnerre* ou l'*épinette*, ou *gamai blanc*, assez analogues, mais supérieurs au précédent ; le *petit* et *gros pineau de Mosette*, les *mestiers* et les *tressots* ou *verrots*, dont le vin est plus ou moins estimé.

Les *gamais* forment une tribu nombreuse, en tête de laquelle se place, non d'après son mérite, mais suivant son ancienneté, le *gamai rond* ou *gros gamai*, très fertile, mais dont le vin est souvent dur et un peu plat ; viennent ensuite le *gamai noir* ou *petit gamai*, qui joue un grand rôle dans les vignobles du Beaujolais ; le *gamai Nicolas* ou *plant de la treille*, non moins recommandable ; le *gamai de Saint-Galmier*, produit abondant et de qualité ; le *gamai de Liverdun*, très répandu en Lorraine ; le *gamai blanc*, très productif, mais donnant un vin médiocre, sujet à filer ou à graisser.

Près des *gamais*, on peut ranger la *sérine noire*, qui fournit presque seule les excellents vins de la Côte-Rôtie ; la *persagne* et le *vionnier*, très cultivés dans les vignobles du Lyonnais. Le *sirrah* et le *prouveran* donnent les vins rouges de l'Hermitage, tandis que la *roussanne* et la *marsanne* produisent les vins blancs du même nom. Les *neyrans*, *gros* et *petit*, sont cultivés dans le Bourbonnais, et ont contribué à l'ancienne réputation des vins de Saint-Pourçain, et le *damas noir* ou *gros noir* fournit les meilleurs vins de l'arrondissement de Riom.

Parmi les cépages à raisins blancs, on cite le *petit danesy* ou *raisin de grave*, un des meilleurs avec un léger goût de muscat ; le *tressaillier*, l'un des plus estimés du Bourbonnais ; le *cépin blanc* ou *grand blanc*, un peu inférieur au précédent et sujet à la pourriture ; le *lucane*, raisin assez hâtif, très bon à manger et donnant d'assez bons vins ; le *sauvignon*, excellent raisin, mais sujet à pourrir. Le *cot* ou *bourguignon noir* est un cépage à vin rouge très estimé depuis le Lot jusqu'au Haut-Rhin. On trouve encore dans cette région le *groslot* ou *groleau*, moins estimé aujourd'hui qu'autrefois, et le *teinturier* ou *gros noir*, abondamment répandu dans beaucoup de vignobles, non pour sa qualité, mais pour son suc très foncé, qu'on ajoute aux vins faibles en couleur.

Lorraine-Franche-Comté. On cultive dans ces régions beaucoup de cépages qui produisent des vins blancs légers, délicats, mais qui, pour la plupart, se conservent peu. Dans la Lorraine, on remarque surtout l'*aubin vert*, fertile et hâtif, à raisins très sucrés ; le *vert noir*, très répandu, mais de qualité inférieure ; le *noir menu*, ou *petit noir*, bien plus productif que les *pinots* de Bourgogne, avec lesquels il a beaucoup d'analogie ; le *noir de Lorraine*, très fertile, donnant un vin rouge corsé et de bonne conservation, mais souvent mûrissant mal, et donnant alors un vin âpre ; le *liverdun*, le plus remarquable par sa constante fécondité ; la *varenne noire*, recherchée par les propriétaires qui tiennent plus à l'abondance qu'à la qualité.

Dans la Franche-Comté, les vignobles du Jura continuent à maintenir leur ancienne réputation. Nous citerons le *plussard* ou *raisin-perle*, très productif, un peu musqué, donnant d'excellents vins mousseux, du vin de liqueur, dit *vin de paille*, et de très bons vins rouges ; le *lombardier du Jura*, fertile et donnant un très bon vin blanc ; le *lignan*, cultivé surtout en treilles ; le *trousseau*, productif et de première qualité ; le *maldoux*, très fertile mais dont le vin est plat et dur ; l'*enfariné*, dont le vin, âpre dans les premières années, acquiert en vieillissant une belle couleur, un bouquet agréable et une saveur délicate ; les *grand* et *petit baclan*, à vin coloré et de bonne qualité. Les meilleurs vins blancs de cette province sont le *savagnin vert*, qui concourt à la composition d'excellents vins mousseux et qui a fait surtout la réputation des vins d'Arbois ; le *savagnin jaune*, *gamai blanc*... l'un des plus cultivés dans les régions du Centre et de l'Est ; le *savagnin blanc*, productif, d'un prompt rapport, mais sujet à la pourriture.

Le Lyonnais et le Dauphiné possèdent, entre autres, la *persaigne*, productive, vigoureuse, mais peu reconnaissable comme qualité ; le *corbeau* ou *gros noir*, rustique, peu difficile sur le sol, donnant un vin très coloré ; et, en fait de raisins blancs, le *bia*, vigoureux, très productif, vin excellent, et la *rousse*, dont le vin se conserve longtemps doux et devient plus tard spiritueux.

Alsace-Allemagne-Suisse. Le *riesling*, ou *riesler*, produit une liqueur acide, dont les qualités et le bouquet se développent avec le temps ; le *hart hengst*, dont l'introduction remonte, dit-on, à Charlemagne, n'est pas moins recommandable ; l'*ortlieber* ou *petit mielleux* est fertile et précoce, mais sujet à la pourriture, et son vin s'éclaircit difficilement ; celui de l'*olwer* a la réputation d'être favorable aux personnes atteintes de gravelle ; les *kloevners* ou *plants gentils* se recommandent plutôt par leur qualité que leur fertilité.

Les *traminers* ou *fromentés* ont aussi quelque analogie avec nos *pinots*, dont ils se distinguent surtout par leur goût musqué et leur maturité plus tardive ; ce sont eux qui produisent les vins les plus généreux du Palatinat, beaucoup moins recherchés en France qu'en Allemagne. Mentionnons encore le *grauer tokayer*, assez commun dans les vignobles du Rhin, et qui n'a rien de commun avec le vrai *tokay*, célèbre vin de Hongrie.

En Suisse, le *plant de la Dole*, originaire du Lyonnais, est l'un des plus estimés pour les vins rouges de cette contrée ; le *chétuan*, très productif, et dont le vin, qui a de la verdeur et de l'âpreté, est l'un de ceux qui supportent le mieux les additions d'eau ; enfin les *fendants*, qui fournissent des vins de très bonne qualité et d'un prix très élevé dans le canton de Vaud.

En Savoie, le *picot rouge* ou *plant de Montmélian* se recommande par sa grande vigueur, sa fécondité et sa précocité ; son vin a une belle couleur, du corps, du spiritueux et un fort bon goût.

Midi-Languedoc. Les vins de cette région sont de natures très diverses, car c'est celle qui renferme le plus grand nombre de cépages. Dans les raisins noirs, le *gros* et le *petit mollar*, très fertiles, produisent un vin léger, agréable et d'une longue conservation ; le *plan Dufour* ou *manosquen* est un cépage vigoureux et fort estimé par la qualité du vin ; le *mourvède*, appelé aussi *alicante*, *mataro*, *balzac*, *espar*, *flouron*, *pignolo*, *beausset*, etc., donne un vin bien coloré, sain, mielleux, très agréable quand il a un peu vieilli, et dont on se sert pour donner la couleur rouge au fameux *muscat de cassis* ; le *moulan* ou *brun-fourca* est un des cépages du meilleur produit, mais il a l'inconvénient de s'égrener facilement à la maturité ; le *mourastel*, *plan dur* ou *perpignan*, inférieur au précédent, a une maturité plus tardive et plus inégale ; le *bouteillan* ou *cayau* donne un produit fort abondant, mais de qualité très ordinaire ; le *catalan* ressemble assez au *mourvède*, mais, plus productif, il donne un vin moins généreux ; le *tibouren* ou *gaysserin* ne paraît pas différer sensiblement du *déflouraïré*, variété vigoureuse et donnant un très bon vin, mais malheureusement sujette à la gelée, à la coulure et à la pourriture ; le *piran rouge*, *spiran* ou *verdel* donne un raisin fin, délicieux, préféré à tout autre dans le Midi, et un vin clairet, fin et pétillant, mais un peu fumeux, celui de tous les vins du Midi qui ressemble le plus au vin de Bourgogne ; l'*aramon*, *plant riche* ou *revalaïré*, a été diversement jugé, mais il faut reconnaître que la grande abondance de ses produits constitue son principal mérite, et qu'en général il n'est bon qu'à produire des vins de qualité inférieure ; le *fer-servadou* ou *scarcit* présente plusieurs variétés, dont la meilleure fournit un vin qui se conserve bien et acquiert avec l'âge un bouquet comparable à celui du vin de Bordeaux ; les *picpouilles noire* et *grise* sont très répandues dans le Midi, parce que leur produit est très abondant, coloré et spiritueux ; la *picpouille blanche* fournit les eaux-de-vie d'Armagnac ; le *marocain*, très beau raisin de table, est d'une maturité un peu tardive ; les *agudets noir* et *blanc* produisent un vin spiritueux et de bon goût, tandis que le *causeron* donne en très grande abondance une mauvaise boisson ; les *mauzacs*, et surtout le *mauzac noir*, sont fort estimés, tant pour la qualité que pour la quantité de leur produit ; les diverses sortes de *clairettes* ou *blanquettes* fournissent la majeure partie des vins blancs du Midi, soit liquoreux, soit secs, ou même mousseux.

Le Roussillon renferme plusieurs cépages, la plupart originaires d'Espagne, et qui produisent des vins spiritueux ayant une saveur agréable et beaucoup de corps ; le *san-antoni* est peu fertile, mais vigoureux et d'un excellent produit ; le *tanat* domine dans les meilleurs vignobles des Hautes-Pyrénées, ainsi que l'*arrouya* ; la *carignane* paraît identique au *mourvède* de Provence ; le *raisin de Saint-Jacques*, aussi hâtif que les *madeleines*, se trouve dans les vignobles de Rivesaltes et, comme raisin de table, il est bien supérieur aux *madeleines* ; le *quillard* ou *jurançon blanc*, bien que sujet à la pourriture, donne un produit remarquable par l'abondance et la qualité.

Le *sciaccarello* produit un des meilleurs vins de la Corse ; plus il vieillit, plus il devient agréable, et c'est un véritable nectar pour les convalescents.

CÉPAGES FRANÇAIS ACTUELS

Bordeaux. Parmi les cépages à vin rouge, les *cabernet franc, cabernet sauvignon, merlot, côt, petit verdot*. Parmi les cépages à vin blanc, les *sauvignon, sémillon, ugni blanc, colombard, merlot blanc, muscadelle*.

Sud-Ouest. Parmi les cépages à vin rouge, les *cabernet franc, cabernet sauvignon, gamay, merlot, côt, courbu noir, duras, fer servadou, jurançon rouge, manseng noir, mérille, négrette, tannat*. Parmi les cépages à vin blanc, les *chenin, sauvignon, ugni blanc, sémillon, baco, baroque, courbu, gros manseng, petit manseng, colombard, folle blanche, jurançon blanc, len de l'el, mauzac, muscadelle*.

Val de Loire. Parmi les cépages à vin rouge, les *cabernet franc, cabernet sauvignon, gamay, pineau d'Aunis, pinot noir, côt, grolleau, meunier*. Parmi les cépages à vin blanc, les *meulon, chardonnay, chenin, sauvignon, arbois*.

Bourgogne. Parmi les cépages à vin rouge, les *pinot noir, gamay, césar, bleurot, tressot*. Parmi les cépages à vin blanc, les *chardonnay, sauvignon, aligoté, pinot blanc*.

Champagne. Parmi les cépages à vin rouge, les *pinot noir, pinot meunier*. Parmi les cépages à vin blanc, le *chardonnay*.

Alsace. Parmi les cépages à vin rouge, le *pinot noir*. Parmi les cépages à vin blanc, les *gewurztraminer, riesling, pinot blanc, sylvaner, chasselas, muscat ottonel*. Parmi les cépages à vin rosé, le *pinot gris*.

Jura. Parmi les cépages à vin rouge, les *pinot noir, poulsard, trousseau*. Parmi les cépages à vin blanc, les *chardonnay, pinot blanc, savagnin*.

Savoie. Parmi les cépages à vin rouge, les *gamay, pinot noir, mondeuse*. Parmi les cépages à vin blanc, les *altesse, chardonnay, jacquere, molette, roussanne, chasselas*.

Côtes du Rhône. Parmi les cépages à vin rouge, les *gamay, syrah, grenache, pinot noir, counoise, mourvèdre*. Parmi les cépages à vin blanc, les *grenache blanc, bourboulenc, clairette, marsanne, roussanne, viognier, muscat à petits grains*.

Provence-Corse. Parmi les cépages à vin rouge, les *gamay, grenache, cabernet sauvignon, syrah, braquet, calitor, fuella nera, mourvèdre, tibouren*. Parmi les cépages à vin blanc, les *chardonnay, ugni blanc, sémillon, clairette, vermentino*.

Languedoc-Roussillon. Parmi les cépages à vin rouge, les *carignan, gamay, grenache, syrah, mourvèdre, picpoul noir*. Parmi les cépages à vin blanc, les *ugni blanc, grenache blanc, bourboulenc, clairette, macabeu, marsanne, muscat à petits grains, picpoul, vermentino, muscat d'Alexandrie, tourbat*. Limoux : *les chardonnay, chenin, mauzac*.

CHAI

Local où sont entreposés les vins, soit pour y vieillir, soit pour être expédiés.

CHAMPENOISE *(méthode)*

Série d'opérations de vinification à partir desquelles on réalise le champagne, mais aussi d'autres vins effervescents (mousseux).

La vendange est pressurée sans être foulée, afin de limiter la macération. La fermentation se fait à basse température. Les cuvées sont alors élaborées par assemblage entre vins de même origine, vins vieux ou vins de l'année.

Après bouchage, les bouteilles sont placées à l'horizontale pour que la fermentation se produise lentement. Puis on incline les bouteilles goulot vers le bas, afin que les levures se déposent sur le bouchon. On élimine ce dépôt en congelant l'extrémité du goulot, puis en débouchant la bouteille le temps d'en ôter le glaçon du goulot. Enfin on rajoute dans la bouteille, pour la remplir, du vin vieux et du sirop de sucre.

CHAPTALISATION

La chaptalisation consiste à ajouter du sucre au moût de raisin avant fermentation, sucre qui se transforme en alcool, afin d'atteindre le degré d'alcool réglementaire, selon les appellations. Certains viticulteurs peu scrupuleux ont parfois tendance à sucrer leur vin au-delà du seuil autorisé. C'est à Jean Antoine Chaptal (1756-1832) que l'on doit cette invention. Chimiste, mais aussi homme politique, il fut ministre de l'Intérieur sous Napoléon Ier, de 1800 à 1804, et contribua à la création des chambres de commerce et de la première École des arts et métiers.

CHÂTEAU

Particularité de la région bordelaise, qui était de donner à un cru le nom du château (qui peut être une gentilhommière, voire une simple maison de maître) dont la vigne dépendait, puisqu'elle avait été plantée sur les terres de son propriétaire (*château-margaux*, *château-yquem*).

CLAIRET *(vin)*

Voir *Gris* (*vin*, p. 37). Deux AOC ont le droit d'être clairet : le *bordeaux-clairet* et le *bourgogne-clairet*. C'est un vin issu d'une macération courte, rouge, léger. À ne pas confondre avec le *claret*, nom que les Anglais donnaient au bordeaux.

CLASSEMENT DES VINS

L'Europe distingue deux grandes familles de vins :
– les vins de table ;
– les VQPRD (vins de qualité produits dans des régions délimitées).

En France, ce classement a été subdivisé en deux ; ainsi obtient-on, par ordre croissant de qualité :
– les VDT (vins de table) ;
– les VDP (vins de pays) ;
– les VDQS (vins délimités de qualité supérieure) ;
– les AOC (vins d'appellation contrôlée).

CLIMAT

Indépendamment de toute considération météorologique, le climat est, en Bourgogne, un terme géographique, un synonyme de lieu-dit. Certains villages vinicoles possèdent plusieurs *climats*.

CLOS

Autre particularité bourguignonne : le clos désigne une vigne autrefois enclose. Souvent, il s'agissait de vignes de monastères, cernées par des murs.

COLLAGE

Destiné à hâter la clarification du vin, c'est-à-dire à l'aider à se décanter si le soutirage ne l'a complètement éclairci, il consiste à ajouter des produits qui précipitent les substances en suspension. Le collage « à l'ancienne » utilisait deux blancs d'œuf par hectolitre, que l'on battait en neige avec une pincée de sel, avant de les verser dans le vin et de remuer énergiquement le tout avec un bâton fendu en deux. Pour les vins blancs, on préconisait la *colle de poisson*.

COMPOSITION DU VIN

Le vin est composé à 90 %... d'eau, et à 10 % environ d'alcool. Selon qu'il est blanc, rouge ou rosé, le vin contient aussi des sucres résiduels (vins blancs liquoreux), des pigments colorants (rouges et rosés), et des tanins, sels minéraux, oligo-éléments (calcium, magnésium, sodium, fer, cuivre, iode...), des acides aminés et des vitamines...

COPEAUX

Copeaux de bois (chêne) que les viticulteurs peu scrupuleux (l'Union européenne interdit cette pratique) mettent dans les cuves pour donner aux vins un goût identique à celui qu'ils prennent lorsqu'ils vieillissent longtemps dans des fûts de bois (de chêne).

COUPAGE

Couper le vin, c'est mélanger de vins d'origines différentes (dans l'*assemblage*, on mélange des vins de même origine). Le coupage est une fraude courante pour augmenter la production d'un vignoble ; ainsi, il y a quelques années, des négociants vendirent du bordeaux, coupé de corbières, sous le label bordeaux, nettement plus rémunérateur que le label corbières.

CRÉMANT

Vin mousseux particulier à certaines régions (crémants *d'Alsace, de Bordeaux, de Limoux, de Loire*) vinifié selon des règles précises.

CRU

À l'origine, le cru est la mesure dont un objet a crû (participe passé du verbe *croître*), ou une production.

En matière viticole, le cru, c'est le terroir, considéré du point de vue de ses spécialités et de ses qualités, par rapport aux terroirs voisins. Par extension, désigne un vignoble : les grands crus de Bordeaux.

Le *bouilleur de cru* était le propriétaire de vigne qui, avant que la loi ne le lui interdise, avait le droit de distiller pour sa consommation personnelle ses récoltes de fruits. Grâce à un alambic souvent monté sur roues qui s'installait sur la place du village, le bouilleur de cru faisait bouillir une partie de son vin pour obtenir une eau-de-vie qui servait aussi bien de digestif que de médicament, pour les hommes ou le bétail (on soignait notamment les foulures et les contusions par des compresses d'eau-de-vie). Le législateur, dans les années 1960, a supprimé le privilège des bouilleurs de cru (qui était transmissible), parce qu'il voyait là une des causes de l'alcoolisme chronique dans les campagnes françaises.

CUIT *(vin)*

Le vin cuit est obtenu à partir d'un moût qui a été concentré par chauffage.

DEMI-SEC

Un vin demi-sec a une teneur en sucre comprise entre 4 et 12 g par litre.

DOUX

Un vin doux a une teneur en sucre, après fermentation, supérieure à 45 g par litre.

DOUX NATUREL *(vin)*

Un vin doux naturel (VDN) est un vin, rouge ou blanc, dont on a arrêté la fermentation pour qu'il garde du sucre et dans lequel on a rajouté de l'alcool (10 % environ). Parmi eux, les *rivesaltes, maury, banyuls*, les *muscats de Mireval, de Frontignan, de Lunel, de Saint-Jean-de-Minervois* (Languedoc-Roussillon), les *rasteau, beaumes-de-venise* (Vaucluse) et le *muscat du cap Corse*.

ÉBOURGEONNEMENT

Dit aussi *épamprage*, il consiste à enlever tous les rameaux stériles nés sur le vieux bois.

ÉCOULAGE

Opération consistant à séparer, après la macération, lors de la vinification de vins rouges, le vin (*vin de goutte*) du marc. Lequel marc est pressé afin d'en extraire le vin restant (*vin de presse*), plus riche en tanins. Vin de goutte et vin de presse sont ensuite assemblés, tout de suite ou après avoir vieilli séparément en fûts.

EFFEUILLAGE

Pratiqué surtout dans le Nord, il consiste à supprimer, avant la vendange, les feuilles qui recouvrent les raisins pour mieux les exposer au soleil.

ÉGRAPPAGE

Après avoir été foulé, le raisin rouge est *éraflé* ou égrappé. La *rafle*, partie ligneuse de la grappe, est ainsi séparée des baies de raisin, afin de ne pas, par son goût, dénaturer le vin.

ÉLEVAGE

Période pendant laquelle on conserve le vin, pour le vieillir. Un vin *élevé* en fûts de chêne est un vin *éraflé* ou égrappé vieilli dans des tonneaux de ce bois.

ÉTIQUETTES DES BOUTEILLES

AOC, VDQS, vins de pays ou *vins de table* : la mention est obligatoire sur l'étiquette de la bouteille, ainsi que sa contenance (75 cl dans la plupart des cas) et le degré/volume d'alcool (10°, 11°, 12°, 12,5°...). Seule exception, les champagnes : l'appellation *champagne*, pour double emploi, dispense de l'appellation AOC.

Est aussi obligatoire, dans ces catégories, le nom de l'établissement qui a assuré la mise en bouteilles : négociant ou propriétaire-récoltant (dans ce dernier cas, on trouve la mention « mis en bouteille à la propriété » – ou « au château ». Dans le cas contraire, il s'agit d'un vin de négociant).

L'indication du millésime, non obligatoire pour les AOC et les VDQS, est interdite pour les vins de table et les vins de pays.

EXTRA-BRUT

Un vin extra-brut est un vin effervescent (champagne, mousseux...) peu sucré (teneur en sucre résiduel inférieure à 6 g par litre).

FERMENTATION

Après le foulage et l'égrappage, la vendange est mise en fermentation. Au cours de cette fermentation alcoolique, phase principale de la vinification, les sucres du raisin se transforment naturellement en alcool sous l'action des levures. Cette transformation s'accompagne d'un dégagement de gaz carbonique. La fermentation alcoolique, qui s'effectue dans des cuves, dure en moyenne de quatre à dix jours.

FEUILLETTE

Nom donné à un fût, en Bourgogne ; selon les villages, il a une contenance différente (entre 114 et 136 l).

FILTRATION

Remplace le collage, lorsque les quantités sont trop importantes.

Son principe consiste à faire passer le vin sous pression – et à l'abri de l'air – à travers une paroi poreuse qui retient les impuretés.

FLEUR DU VIN

Petits champignons qui se développent à la surface du vin en vidange. Peu dangereux, ils transforment cependant l'alcool en eau et gaz carbonique. On empêche leur développement en *ouillant*, c'est-à-dire en remplissant les fûts dont le niveau a baissé.

FOULAGE

Le foulage (pour les raisins rouges) consiste à faire éclater les grains en les pressant (sans les écraser), ce qui libère la pulpe et le jus du raisin (*moût*).

FÛT

Barrique autrefois en bois de chêne dans laquelle est gardé le vin.

GAZ CARBONIQUE

La fermentation du moût transforme le sucre du raisin en alcool et en gaz carbonique. C'est le gaz carbonique contenu dans les bouteilles de champagne qui en fait sauter les bouchons et se dégage en formant des bulles. L'émanation du gaz carbonique provoquait souvent des malaises, voire des asphyxies mortelles, quand les vendangeurs, debout dans les cuves, foulaient au pied le raisin pour en extraire le jus.

GOUTTE *(vin de)*

Le vin de goutte s'obtient par simple gravité lorsque, après fermentation, on vide la cuve par écoulement (et non pas par pompage).

GREFFAGE

Le greffage, depuis le phylloxéra, a permis d'obtenir des plants de vigne dont les parties aériennes sont restées françaises, mais sur des racines américaines résistantes au redoutable insecte, lui aussi d'origine américaine. Le tout grâce à une greffe... anglaise !

Voici comment un manuel, vers 1900, présentait le greffage :

On récolte les greffons sur des souches saines, de décembre à février, on les débarrasse des vrilles et on les conserve à température basse dans du sable presque sec. En février dans le Midi, en mars dans le Centre, en avril dans le Nord, on entreprend le greffage sur les porte-greffes, qui ont été sélectionnés en fonction de la nature du sol dans lequel ils doivent s'enraciner (ils ont été conservés, eux, dans du sable humide).

Si les porte-greffes sont desséchés, les plonger dans l'eau pendant deux ou trois jours. Diviser ces porte-greffes en fragments de 25 à 30 cm ; couper au-dessous d'un nœud et enlever tous les yeux.

Sectionner les greffons à 8 ou 10 cm en ne laissant qu'un œil surmonté de 2 à 3 cm de bois.

Avec une petite jauge (métrogreffe), choisir un sujet et un greffon de grosseur identique.

À la serpette ou au greffoir bien tranchant, tailler sujet et greffon de la même façon en un biseau un peu concave (jamais convexe) et de la longueur 2,5 à 3 fois le diamètre du sarment. Faire ce biseau d'un seul coup de greffoir et, en ce qui concerne le greffon, à l'opposé de l'œil et aussi près que possible du nœud.

Au 1/3 environ de ces biseaux, à partir de leur pointe, faire une fente de 3 à 5 mm dans le sens des fibres du

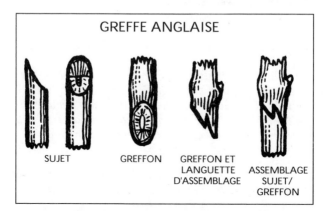

GREFFE ANGLAISE

SUJET   GREFFON   GREFFON ET LANGUETTE D'ASSEMBLAGE   ASSEMBLAGE SUJET/ GREFFON

bois qui doit être coupé et non pas fendu ou éclaté. Écarter au greffoir les lèvres de cette fente pour séparer une languette de bois.

Assembler sujet et greffon en emboîtant les languettes à fond. Un bon greffeur peut ainsi faire de 800 à 1 200 greffes-boutures par jour. Des machines à greffer simplifient ce travail, mais celui-ci n'est jamais aussi parfait qu'à la main.

Assurer la solidité de l'assemblage en ligaturant le tout avec du raphia, les spires ne se touchant pas pour que la greffe puisse s'aérer. Ce raphia se décomposant dans le sol évite l'étranglement des tissus cicatriciels. Pour assurer la reprise, placer horizontalement les greffes bouturées par paquets de 10 ou de 15 dans du sable ou de la mousse maintenus humides par des bassinages légers et à une exposition chaude. Au bout d'un mois les tissus et boutures sont généralement très apparents.

La mise en pépinière a lieu ensuite, en sol échauffé. Établir la pépinière en sol léger, meuble, frais, bien fumé. Disposer au plantoir les greffes-boutures en lignes espacées de 30 cm et à 5 cm sur la ligne, l'œil du greffon étant au niveau du sol. Butter ensuite les lignes de greffons qui émergent de 3 cm de terre fine ou sableuse et pailler entre les buttes. Bassiner, sarcler et biner légèrement de temps en temps. Dès que les pousses sont sorties, sulfater et soufrer souvent pour éviter les maladies cryptogamiques.

En août, déchausser les greffes, couper toutes les racines développées sur le greffon (sevrage) et butter à nouveau. En septembre, recommencer ; en novembre, les greffes-boutures sont suffisamment développées pour être mises en place. Ce sont désormais des racines.

GRÊLE

Fléau météorologique du viticulteur, la grêle peut causer des dégâts considérables. Si elle survient en juin, on peut retailler les bourgeons meurtris. À partir d'août, la grêle est dévastatrice. Les raisins abîmés pourrissent aussitôt, et il est parfois encore trop tôt pour les vendanger.

GRIS *(vin)*

Un vin gris (ou *vin clairet*) provient de raisins rouges à jus blanc. Il résulte d'une macération très courte (une nuit, d'où son surnom, qui ne doit rien au romantisme, de *vin d'une nuit*), brièveté qui provoque sa faible coloration. Le *vin des côtes de Toul* est un vin gris.

INAO

L'INAO (Institut national des appellations d'origine), composé de 77 membres, est l'organisme qui codifie la qualité du vin. C'est lui, ce « gendarme du vin », qui délivre les mentions VDQS ou AOC, en veillant au respect des règles de production, régies par décrets.

JAUNE *(vin)*

Originaire du Jura, le vin jaune est un vin blanc qui a pris une couleur ambrée en raison de levures qui forment une espèce de peau colorée. À partir du début de sa deuxième année, on le laisse vieillir sans y toucher jusqu'à sa sixième année, voire sa dixième. La garde en fûts accentue encore cette coloration. C'est le seul vin blanc à ne pas être servi frais. Rare, il est conditionné en bouteilles de 63 cl.

LABOURS

La vigne est labourée à l'automne, avant les froids (*buttage* des souches pour les protéger du gel), et l'on creuse une rigole centrale pour faciliter l'écoulement des eaux, puis au printemps, lorsque les gelées ne sont plus à craindre, en ramenant la terre entre les lignes pour aérer les racines et le sol (*débuttage*). Pendant l'été, on bine ou on laboure en surface pour maintenir le sol propre et empêcher l'évaporation.

LEVURES

Micro-organismes qui provoquent la fermentation alcoolique du jus de raisin.

LIE

La lie est le dépôt, jaunâtre ou rougeâtre, qui se forme au fond des récipients contenant des boissons fermentées, cuves ou bouteilles. On retire la lie lors des soutirages. Certains vins blancs sont « laissés sur leur lie » : *muscadet sur lie, gros-plant sur lie...*, c'est-à-dire qu'une fois vinifiés ils sont directement mis en bouteilles, le vin se séparant de ses dépôts par simple gravité. Le procédé, très ancien (les vignerons d'antan ne filtraient pas avec le même soin que les œnologues d'aujourd'hui), a été « redécouvert » parce qu'il personnalise le vin par rapport à d'autres issus d'un même cépage, lui donnant davantage de finesse et un léger perlé.

LIQUEUR *(vin de)*

Un vin de liqueur est un vin, rouge ou blanc, auquel on a ajouté environ 15 % d'alcool avant ou pendant sa fermentation. Il garde beaucoup de sucre (le *ratafia*, le *pineau des Charentes* sont des vins de liqueur, comme les vins secs de *Madère*, *Porto*, *Xérès*...) et se distingue des vins liquoreux par une douceur prononcée due à un soleil ardent ou à une cuisson du moût ; dans ce cas, on les appelle encore *vins cuits* (le *frontignan*, par exemple). On obtient des vins de liqueur, dans les pays chauds où les gelées ne sont pas à craindre, en laissant les raisins subir sur la souche un début de dessiccation (*passerillage*), ce qui augmente la concentration du jus et sa richesse en sucre. C'est ainsi que l'on opère pour les vins de *muscat* à *Banyuls*, *Frontignan*... On peut aussi laisser le raisin « blettir » sur les souches sous l'influence d'une pourriture spéciale (*pourriture noble* ou *Botrytis cinerea*) ainsi qu'il est fait pour les vins de *Sauternes* et certains vins du Rhin.

LIQUOREUX *(vins)*

Les vins liquoreux sont élaborés à partir de raisins très riches en sucre, récoltés tardivement, parfois jusqu'au mois de décembre, en plusieurs tris successifs (voir *Vendanges tardives*, p. 61). Pour concentrer le sucre, on laisse agir la « pourriture noble » du *Botrytis cinerea*, ou l'on procède au *passerillage* en exposant les raisins, encore sur souche, au soleil (*jurançon*), ou par dessèchement des raisins après cueillette (*vin de paille*). Le moût de ces vendanges est très riche en sucre, et peu acide. Après fermentation alcoolique, les vins sont conservés en fûts pendant deux ans, puis mis en bouteilles.

MACÉRATION

Pendant la fermentation, les matières colorantes et les éléments tanniques contenus dans la peau des raisins rouges se diffusent dans le moût. Le temps de macération varie selon le type de vin rouge recherché. Plus ce temps est long, et plus le vin sera de garde, c'est-à-dire apte à vieillir. On met fin à la macération par l'*écoulage*. La *macération carbonique*, pour les vins rouges, est une première macération, avant la fermentation traditionnelle, de raisins entiers non foulés, dans une cuve saturée de gaz carbonique.

MARC

Le marc, dans la cuve de fermentation, est l'ensemble des parties solides du raisin : rafles, pellicules, pépins... On en extrait le *vin de presse*, résidu solide obtenu après pressurage des peaux et des rafles du raisin. On le distille pour en obtenir de l'eau-de-vie.

MERRAIN

Le merrain est le bois de chêne taillé en planches pour fabriquer des barriques ou des fûts.

MILDIOU

Le mildiou est un champignon qui tache les feuilles des deux côtés à la fois. Ces taches, couleur feuille morte à la face supérieure, présentent à la face intérieure un feutrage épais ressemblant à de la farine. En se desséchant elles finissent par former des trous. Sur les raisins verts les taches se recouvrent d'un feutrage gris ; les raisins mûrs, eux, deviennent bruns, se dessèchent et tombent.

Voir *Bouillie bordelaise* (p. 12).

MOELLEUX

Un vin moelleux doit avoir une teneur en sucre après fermentation comprise entre 12 et 45 g par litre.

MOUSSEUX

Le vin mousseux est caractérisé par la présence de gaz carbonique en dissolution dans le vin, gaz provoqué par la fermentation lente du sucre. La mousse est provoquée par le gaz carbonique qui s'échappe lorsque le vin est versé dans les verres.

MOÛT

Le moût est le jus de raisin qui vient d'être *foulé* (vins rouges) ou *pressuré* (vins blancs) mais qui n'a pas encore subi la fermentation alcoolique. Il contient des levures qui, en fermentant, vont transformer le sucre en alcool et en gaz carbonique qui s'évaporera de lui-même, laissant le jus alcoolisé. Du jus de raisin, après sa *fermentation*, on sera passé au vin.

MUSELET

Fil de fer torsadé maintenant les bouchons des vins effervescents, comme le champagne, sur le goulot des bouteilles.

MUTAGE

Opération consistant à ajouter de l'alcool neutre ou de l'eau-de-vie au moût pour arrêter la fermentation alcoolique et lui conserver une partie de ses sucres ; cette méthode est utilisée pour les vins doux naturels ou les vins de liqueur.

NOUAISON

Période du cycle de la vigne, succédant à la florai-son, au cours de laquelle apparaissent de petits grains de raisin.

NOUVEAU *(vin)*

Le vin nouveau est un vin de l'année, à boire à par-tir de la date légale de sortie des chais (généralement, pour les AOC et VDQS, en décembre, sauf pour les vins de pays, autorisés à partir d'octobre) et jus-qu'aux vendanges suivantes, période au cours de laquelle il perd son titre de « nouveau ».

Les *beaujolais nouveau, gaillac nouveau, côtes-du-rhône nouveau, vin de Loire nouveau*, comme les vins primeurs, bénéficient d'une exception et peuvent être consommés à partir du 3e jeudi de novembre, à 0 h ; ils n'ont le droit d'être vendus sous ce nom que jus-qu'au printemps.

OUILLAGE

Remettre une cuve à niveau en lui rajoutant du vin pour compenser le liquide perdu par évaporation.

OÏDIUM

Voir *Soufrage* (p. 56).

PAILLE *(vin de)*

Originaire du Jura, comme le vin jaune avec lequel il ne faut pas le confondre, le vin de paille provient de raisins blancs qui fermentent alors qu'on les fait sécher sur la paille. Ils s'y flétrissent, perdant leur eau et leur gaz carbonique. Il s'ensuit un vin sucré, très alcoolisé (14° minimum). Sa production, en raison des soins qu'elle demande, est très limitée (on trouve aussi un *vin de paille Hermitage*, en côtes-du-rhône).

PASSERILLAGE

Voir *Liquoreux (vins*, p. 40).

PAYS *(vin de)*

Les vins de pays, d'une catégorie supérieure aux vins de table, doivent, pour obtenir cette appellation, avoir un degré d'alcool minimum de 10° et répondre à certains critères d'encépagement et de rendement. Contrairement aux vins de table, leur provenance est connue et ils possèdent une origine géographique précise. Ils sont soumis à un contrôle de dégustation avant d'être agréés par un Office national interprofessionnel des vins (on en compte, pour la France, plus de 140).

Il existe trois catégories de vins de pays : les *vins de pays à dénomination départementale* (*vins de pays de l'Ardèche*, par exemple), les *vins de pays à dénomination de zone* (*vins de pays des Cévennes*, par exemple), les *vins de pays à dénomination régionale* (*vins des comtés rhodaniens*, par exemple).

Les *vins de pays de cépage* sont élaborés à partir d'une seule variété de vigne. Pour que le nom d'un cépage puisse accompagner la dénomination *vin de pays* sur l'étiquette, la réglementation française impose que le vin provienne à 100 % du cépage mentionné.

PELURE D'OIGNON

Couleur de certains vins rouges vieillis ; aucun rapport, notamment dans les arômes ou la vinification, hormis la teinte, avec la plante potagère de la famille des liliacées…

PERLANT

Un vin perlant est un vin légèrement pourvu en gaz carbonique, moins mousseux qu'un vin pétillant, moins pétillant qu'un vin mousseux.

PÉTILLANT *(vin)*

« Vin pétillant » qualifie certaines AOC (*anjou, saumur, touraine…*) qui sont vinifiées selon la méthode champenoise, comme des mousseux, mais avec une pression moindre, ce qui provoque, à l'ouverture de la bouteille, non pas une mousse comme celle que l'on trouve dans les crémants et les champagnes, mais une légère effervescence.

PIÈCE

Volume de vin variant, selon les régions, de 180 à 260 l.

PHYLLOXÉRA

Le phylloxéra est d'abord un ver, puis une sorte de puceron, mais dans les deux cas le pire ennemi de la vigne. Son œuf, déposé à l'automne sous l'écorce du bois, donne naissance en avril ou en mai suivants à un insecte de teinte jaunâtre et de forme allongée. Ces jeunes phylloxéras montent sur les rameaux où ils se multiplient, produisant sur les feuilles des excroissances appelées *galles*, d'où leur nom de *gallicoles* ; d'autres descendent, eux, dans la terre et s'établissent sur les racines de la vigne, d'où leur nom de *radicicoles*, où ils finissent par créer des excroissances mortelles pour le cep. Ils pondent abondamment des œufs qui reproduisent et amplifient le cycle décrit, les gallicoles se répandant ensuite, grâce aux ailes qui leur poussent, sur toute l'étendue des vignes...

Pour enrayer ce mal, que les vignerons combattaient en badigeonnant les souches d'un mélange de chaux vive et de pétrole, on vota, en 1878 et 1879, des lois qui autorisaient le traitement des vignes sans l'accord de leurs propriétaires, l'introduction de plants de vignes américains, et qui subventionnaient l'application d'insecticides. Il y eut même une *Convention de Berne* au cours de laquelle l'Allemagne, l'Autriche-Hongrie, l'Espagne, la France, l'Italie, le Portugal, la Suisse et les Pays-Bas organisèrent une défense commune qui n'empêcha en rien la propagation du phylloxéra. Il fallut, dans certaines régions, replanter tout le vignoble avec des ceps plus résistants.

Le phylloxéra fut malencontreusement introduit en Europe par l'importation de vigne américaine : les vignerons d'alors voulaient expérimenter les ceps du Nouveau Monde pour remplacer les antiques cépages que les légionnaires romains avaient apportés dans leurs bagages au fur et à mesure de la conquête. Mais ce fut de ces mêmes souches américaines que vint le

salut : elles restaient insensibles à la vermine phyl-
loxérique.

On se mit à greffer des cépages européens (greffons) sur des plants américains (porte-greffes). Et
notre bonne vieille vigne gallo-romaine fut sauvée.

PINARD

Synonyme de mauvais vin, bibine, vin de consommation courante. C'est le nom d'un médecin, Adolphe
Pinard (1844-1934), qui, pour lutter contre les maladies vénériennes dont souffraient les soldats, eut
l'idée de rajouter du mercure au mauvais vin de l'in-
tendance.

PINCEMENT

Un peu avant la floraison, on pince avec les ongles
les jeunes rameaux à 3 ou 4 feuilles au-dessus de la
dernière grappe, afin de faire refluer la sève et de
grossir le bois.

PRESSURAGE

Action consistant à extraire le maximum de jus de
raisin à l'aide de fouloirs ou de pressoirs. Voir *Écoulage* (p. 30).

PRIMEUR *(vin)*

Le vin primeur, comme les *beaujolais nouveau,
gaillac nouveau, côtes-du-rhône nouveau, vin de Loire
nouveau* qui sont, eux, des vins nouveaux, peut être
consommé à partir du 3e jeudi de novembre, à 0 h ;
il n'a le droit d'être vendu sous ce nom que jusqu'au
printemps, époque à laquelle, d'ailleurs, il n'en reste
plus.

Les *vins de pays primeurs* (ou *nouveaux*) sont réglementés depuis la récolte de 1990. Correspondant à des vins gouleyants et fruités, ils peuvent être commercialisés avant les autres *vins de pays*. Ils doivent respecter trois conditions :
- une date de mise à la consommation fixée au 3e jeudi du mois d'octobre suivant la récolte (les *vins d'appellation primeur* sortent un mois plus tard) ;
- un étiquetage mentionnant le caractère primeur ou nouveau et le millésime ;
- un agrément spécifique par une commission de dégustation chargée de vérifier le caractère primeur des vins présentés.

PRUINE

La pruine est une sorte de poussière fine, cireuse, recouvrant la peau du raisin (mais aussi la feuille du chou et le chapeau de certains champignons) ; elle s'efface quand on frotte les grains.

RAFLE

Partie ligneuse de la grappe (c'est-à-dire la grappe de raisin sans ses grains). On la sépare du raisin rouge lors de l'*égrappage* (voir p. 30).

RAISIN DE CUVE

Raisin destiné à donner du vin.

RAISIN DE TABLE

Raisin destiné à être consommé frais.

ROSÉ *(vin)*

Le vin rosé provient de raisins rouges à jus blanc, et non pas, comme on peut le croire, d'un mélange de raisins rouges et de raisins blancs (procédé interdit par la loi, seulement autorisé pour obtenir du *champagne rosé*, qui est un mélange de *bouzy* (vin rouge de Champagne) avec du vin blanc, lui aussi de Champagne).

Le rosé s'obtient soit par la méthode des vins blancs, soit par la méthode des vins rouges, mais en interrompant la macération au bout d'une semaine, lorsque le moût a pris une couleur rosée.

ROUGE *(vin)*

Le vin rouge s'obtient avec des raisins rouges. Les raisins sont foulés légèrement (c'est-à-dire qu'ils passent entre deux cylindres cannelés tournant en sens inverse et à des vitesses différentes, laissant passer les matières solides), puis mis à macérer en cuves sur une durée plus ou moins longue (un mois environ, le temps que tous les sucres se transforment en alcool). Le vin est ensuite séparé des matières solides. Chacun des deux composants est pressé séparément puis remélangé et mis en fûts de vieillissement de quelques mois à trois ans. Pendant cette durée, on transvase le vin de fût en fûts afin d'éliminer, par soutirage, les dépôts.

SAISONS DE LA VIGNE

De novembre à février, la vigne est en sommeil (période dite *repos hivernal*). La sève ne circule plus dans la plante et on en profite pour la tailler, afin de supprimer les sarments et de sélectionner les bourgeons qui donneront les pousses et les fruits de l'année suivante.

En mars-avril, c'est le *débourrement* : les bourgeons commencent à se développer, les rameaux et les feuilles apparaissent. En mai-juin, c'est la *floraison* et l'apparition de petites fleurs.

En juillet, le feuillage continue de se développer et les fleurs vont donner des grains de raisin : c'est la *nouaison*. En août, c'est la *véraison* : les raisins verts grossissent et mûrissent, ils se colorent soit en rouge, soit en jaune, deviennent moins acides et s'enrichissent en sucres et en arômes.

En septembre-octobre, on vendange.

Proverbes de vignerons :
(Les dates données sont celles des anciens calendriers)
À la Saint-Vincent, le vin monte au sarment,
Ou s'il gèle il en descend (22 janvier).

Saint-Vincent au pied sec,
La vigne à la serpette.

Saint-Vincent (22 janvier) *clair*
et Saint-Paul (25 janvier) *trouble*
Mettent le vin dans la gourde.

S'il tonne en janvier, cuves au fumier.

Janvier sec et beau remplit cuves et tonneaux.

Si tu tailles ta vigne en février, tu auras gros raisins pour la Saint-Antoine (13 juin).

Février humide remplit les tonneaux.

S'il tonne en février, de ta cave fais un grenier.

Qui taille sa vigne à Saint-Aubin (1ᵉʳ mars),
A toujours sa vigne et souvent du vin.

À la Saint-Grégoire (12 mars),
Il faut tailler sa vigne pour boire.

Quand mars mouillera,
Bien du vin tu auras.

Le vin d'avril est un vin de Dieu, le vin de mai est un vin de laquais.

Avril froid donne pain et vin.

S'il tonne en avril, prépare tes barils.

Gel du vendredi saint gèle le pain et le vin.

À la Saint-Urbain, qui est dans la vigne est au vilain : au 25 mai (fête de saint Urbain), la récolte est assurée au vigneron : il n'a plus à craindre les gelées (il lui reste toutefois les orages !).

Bourgeon de mai remplit le chai.

Vin de mai, piquette de chai.

À la Saint-Jean, le raisin pend (24 juin).

*S'il pleut à la veille Saint-Pierre,
La vigne est réduite au tiers* (29 juin).

*Juillet ensoleillé
Emplit caves et greniers.*

*C'est le mois d'août
Qui donne bon goût.*

*Août mûrit, septembre vendange,
En ces deux mois tout bien s'arrange.*

Septembre humide, pas de tonneaux vides.

*Pour vendanger il faut attendre
Au moins la fin de septembre.*

*Quand octobre prend fin,
Dans la cuve est le raisin.*

À la Saint-Martin, on boit du bon vin. La Saint-Martin, le 11 novembre, correspondait à la fête que les païens célébraient en l'honneur de Bacchus. En France médiévale, c'était une sorte de petit mardi gras ; le clergé catholique, plutôt que d'interdire la fête, la récupéra en faisant de saint Martin le patron des buveurs. L'ivresse fut appelée *mal de saint Martin*, et *martiner* signifiait bien boire.

À la Saint-Martin, faut goûter le vin, Notre-Dame après, pour boire il est prêt.

À la Saint-Martin, tout le moût passe pour bon vin.

Noël doux et humide
Fait tonneaux et greniers vides.

Année de groseilles/Année de bouteilles.

Si le foin pourrit, le vin mûrit.

Qui veut avoir bon goût
Laboure sa vigne en août.

Année sèche/Année de vin.

Bruine est bonne à la vigne, mais pour le blé, c'est la
ruine.

Quand nous serons morts, fouira la vigne qui pourra :
version vigneronne du *Après moi le déluge* de Louis XV
(*fouir* : creuser).

Être dans les vignes, être dans les vignes du Seigneur :
être ivre.

L'eau fait pleurer, le vin chanter.

Quand le vin est tiré, il faut le boire.

Un verre de vin vaut un habit de velours.

À bon vin, point d'enseigne.

Vin rouge le soir, blanc le matin, ravit le pèlerin.

Vin versé n'est pas avalé : il ne faut pas compter sur
l'avenir, car les espoirs que l'on peut avoir ne se réa-
lisent pas toujours.

Lait sur vin est venin, vin sur lait c'est santé : lorsqu'on est guéri d'une maladie, on passe du lait au vin, et lorsqu'on est malade, on passe du vin au lait.

La vérité est dans le vin.

Trois verres de vin descendent en trois heures.

Le vin est le lait des vieillards.

Nul vin sans lie.

Au matin bois le vin blanc, le rouge au soir pour le sang.

Mieux vaut sentir du vin que le boire.

Vin, fille, faveur et poirier sont difficiles à conserver.

Le bon vin porte sa vente en soi.

Le vin entre et la raison sort.

L'oiseau de l'oubli chante devant ceux qui s'enivrent et leur dérobe leur âme (proverbe scandinave).

SEC

Un vin sec doit avoir une teneur en sucre après fermentation inférieure à 4 g par litre.

SOUFRAGE

On soufre la vigne pour lutter contre des maladies cryptogamiques comme l'*oïdium*, qui attaque les feuilles en y provoquant des taches vert pâle recouvertes d'une poussière gris sale à odeur de moisi. Les grains touchés restent petits et se crevassent.

SOUTIRAGE

Il consiste, après fermentation, à séparer le vin clair des lies qui se déposent dans le fond des cuves, et aussi à l'aérer.

TABLE *(vin de)*

Destiné à la consommation courante, le vin de table est le résultat d'assemblage (ou coupage) de vins issus de plusieurs pays et de plusieurs cépages. Les seules mentions obligatoires sur l'étiquette sont le degré d'alcool et le nom de l'établissement qui a effectué la mise en bouteilles.

Les « vins de table français » sont d'origine exclusivement française (mais peuvent être issus de régions différentes). S'ils sont issus d'un assemblage de vins issus de différents pays de l'Union européenne, ils portent la mention « mélange de vins de différents pays de la Communauté européenne ». Les coupages avec des vins provenant de pays extérieurs à l'Union européenne sont interdits.

TAILLE

La taille de la vigne varie selon le climat, les régions, le sol, le cépage... D'une façon générale, on forme la souche d'autant plus haut que les gelées sont plus à craindre, de 25 cm (vignes basses) dans le Midi à 50 cm dans les zones septentrionales (vignes hautes). De nos jours, on adapte aussi la taille des vignes au gabarit des engins agricoles.

La vigne porte ses fruits sur les sarments de l'année produits pas le développement des yeux du bois de l'année précédente. En outre, certains cépages, comme l'aramon, ne portent leurs fruits que sur les rameaux développés à la base des sarments ; il faut leur appliquer une taille courte, à deux yeux. D'autres cépages, comme le pinot ou le cabernet, donnent des fruits sur les bourgeons des extrémités ; il faut leur appliquer une taille longue, à quatre, cinq ou six yeux (long bois) ou une taille mixte.

La taille, donc, sert à sélectionner le nombre des bois et leur position, à limiter leur longueur, afin de régulariser la production des fruits en quantité comme en qualité. Elle permet aussi de ralentir le vieillissement de la souche et de prolonger sa production. La taille peut se faire, en principe, pendant tout le repos de la végétation, mais, en raison des gelées, on la pratique entre décembre et février. Dans les vignes situées dans les régions nord, on attend cependant le printemps, après les gelées, mais on a exécuté à l'automne un nettoyage pour enlever les bois inutiles à la taille définitive.

La taille, au sécateur, peut se faire, selon la forme obtenue, en *gobelet*, en *éventail*, en *cordon*, en *taille Guyot*... La taille en gobelet est fréquente dans les vignobles méditerranéens ; ancienne, elle ne permet pas la mécanisation du vignoble. La taille Guyot est la plus fréquente ; associée au palissage de la vigne, elle est adaptée à la mécanisation du vignoble. La souche présente un tronc court prolongé par un ou deux sarments fixés sur un fil de fer. *Idem* pour la taille en cordon de Royat, où la souche a un tronc assez long et des bras horizontaux alignés sur un fil de fer, ce qui facilite la mise en œuvre des machines à vendanger.

TRIE

La trie est l'ensemble des récoltes successives de raisins atteints de pourriture noble, pour la production des vins liquoreux.

VDQS

Vins délimités de qualité supérieure. Intermédiaires entre les vins de pays et les AOC, ils obéissent à des normes (fixées par arrêtés) moins strictes au niveau technique que les AOC, dont ils sont « l'antichambre », mais doivent respecter des règles d'encépagement, de degré d'alcool. Ils sont, eux aussi, soumis à une épreuve de dégustation. Ils peuvent être vins de propriétaire ou vins de négoce.

VENDANGE

Le vin est le produit de la fermentation du jus de raisin frais. On récolte ce raisin lors de la *vendange*. Quand le raisin est arrivé à maturité complète, on le ramasse en coupant les grappes avec des sécateurs ou des ciseaux, et en mettant de côté, si possible, les grappes pourries ou avariées. Pour les vins fins, on trie les raisins, en laissant sur pied ceux insuffisamment mûrs, afin de les récolter plus tard.

Transportée au cellier, la vendange subit un traitement différent selon qu'il s'agit de faire un vin blanc ou un vin rouge. Pour les vins rouges (qui ne se font qu'avec des raisins à peau ou à jus rouge), le jus de raisin fermente en présence des parties solides de la grappe : rafle, pulpe, peau, pépins... Dans les vins blancs, le jus est immédiatement séparé de la vendange pour qu'il fermente seul.

VENDANGES TARDIVES

Les vins dits de vendanges tardives proviennent de raisins blancs. Les raisins en maturation sur pied sont attaqués par un champignon minuscule appelé « pourriture noble » (*Botrytis cinerea*, voir p. 12), qui perfore la peau du raisin, permettant l'évaporation de l'eau. Le raisin se flétrit et garde un jus très concentré, très doux et très fruité.

Ces vins sont rares (et chers), car il faut beaucoup plus de raisins que dans une vendange normale pour obtenir la même quantité de vin. Cette récolte demande aussi des conditions climatiques particulières, l'idéal étant le brouillard le matin (pour que se développe la pourriture noble) et le soleil l'après-midi (pour le sucre du fruit). Les vendanges tardives se font au cours de l'hiver, parfois dans la neige, et demandent plusieurs passages de récolte, grappe par grappe, selon maturation du raisin. Les grains sont ensuite séparés un à un, et classés selon leur pourrissement. Ces vins se trouvent en Alsace (cépage *pinot blanc*, proche du *chardonnay*) et dans le Bordelais (*sauternes*).

VÉRAISON

La véraison est l'étape, dans le mûrissement du raisin, où il devient translucide et commence à se colorer.

VIGNE

La vigne est, en botanique, un arbrisseau sarmenteux, de la famille des ampélidées, grimpant, muni de vrilles, donnant des fruits en grappes, et dont une espèce produit le raisin. Elle a inspiré des poètes oubliés, qui devaient en apprécier le fruit pour mieux taquiner la muse, comme Pierre Dupont (*La vigne est un arbre divin...*) ou Auguste Barbier (*Plante aux reins tortueux, à la feuille angulaire,/Que le soleil caresse avec amour,/Ne laisse point tarir ta sève salutaire,/Ô vigne...*).

À ne pas confondre avec la *vigne blanche* (clématite), la *vigne de Salomon* (autre clématite), la *vigne du Nord* (houblon), la *vigne vierge* (douce-amère)...

En langage viticole, les *vignes arbustives* sont celles que l'on fait grimper aux arbres, les *vignes basses* celles qui rampent sur le sol, les *vignes en cordons* celles dont les sarments s'étalent au-dessus des arbres fruitiers, les *vignes de labour* celles qui sont alignées et espacées de façon à pouvoir être cultivées à la charrue, les *vignes pleines* celles qui sont plantées en quinconce.

VIGNE *(culture de la)*

Pour sa culture, la vigne nécessite un climat particulier. Jean Antoine Chaptal (voir *Chaptalisation*, p. 25) écrivait, au début du XIXe siècle, dans son *Dictionnaire de l'agriculture* : « Tous les climats ne sont pas propices à la culture de la vigne. C'est entre le 35e et le 50e degré de latitude qu'on peut se permettre une culture avantageuse de cette production végétale. C'est aussi entre ces deux termes que se trouvent les vignobles les plus renommés et les pays les plus riches en vins, tels que l'Espagne, le Portugal, la France, l'Italie, l'Autriche, la Hongrie et la Grèce. De tous les pays, celui qui offre sans doute la situation la plus heureuse est la France ; aucun autre ne présente une aussi grande étendue de vignobles ni des expositions plus variées. Depuis les rives du Rhin jusqu'au pied des Pyrénées, on cultive la vigne dans tous les cantons où le sol est favorable. Nulle part on ne trouve l'influence du climat d'une manière mieux marquée qu'en observant les changements qu'éprouvent les plants de vigne lorsqu'on les transporte dans des pays éloignés. Le sol et la culture pourraient y être semblables au sol et à la culture du pays natal de la vigne sans que les fruits eussent presque aucun rapport entre eux. On convient assez généralement que les vignes du Cap proviennent de plants de Bourgogne qui ont été apportés par des vignerons de cette province pour y cultiver et y faire le vin à leur manière. On sait que la plupart des vins qu'on boit à Madrid proviennent de plants bourguignons. L'histoire nous apprend enfin que les plants des vignes de la Grèce transportés en Italie n'y ont plus produit les mêmes vins et que les fameuses vignes de Falerne cultivées au pied du Vésuve ont changé de nature. »

Selon l'adage, la ligne de culture de la vigne part de Vannes (Bretagne) et se dirige sur Mézières (Ardennes) en passant par Alençon et par Beauvais. Au nord de cette ligne, la vigne pousse, mais ne mûrit pas, à moins de conditions exceptionnelles de soins et d'exposition.

Les sols calcaires, siliceux, alumineux et magnésiens, les terrains primaires, secondaires, tertiaires et volcaniques conviennent tous parfaitement à la vigne, pourvu qu'ils n'occupent pas des cuvettes où les brouillards s'abattent et stagnent. L'excès d'humidité dans le sol et dans l'atmosphère n'est pas favorable à la vigne. La vigne s'accommode bien de terrains maigres, arides, perméables à l'air et à l'eau, dans lesquels tout autre végétal a du mal à prospérer. L'exposition de la vigne doit varier selon les circonstances locales. Un sol sec et caillouteux exige une exposition moins méridionale qu'un sol gras et substantiel.

D'une façon générale, l'altitude la plus favorable est celle inférieure à 300 m avec quelques exceptions pour le Massif central et les Alpes. En plaine, la végétation est plus prolifique, mais de qualité moindre. La vigne y est plus exposée que sur les coteaux aux gelées printanières et aux maladies cryptogamiques (champignons).

Les coteaux donnent les vins les plus réputés. Les vignes du Jura, de la Champagne, de la Bourgogne... sont toutes sur des coteaux.

Les meilleures expositions sont le sud et le sud-est pour les régions froides, le sud-ouest pour les climats plus doux et maritimes. L'exposition nord ne convient qu'aux régions très chaudes du Midi ; elle convient encore aux raisins très précoces.

En ce qui concerne les sols, l'argile donne des vins fermes au début, puis moelleux, et communique un goût de terroir. Le calcaire, lui, relève le titre alcoolique par augmentation du sucre dans le raisin. La silice, enfin, donne de la finesse. Les cailloux assurent l'aération du sol et l'écoulement de l'eau et accentuent la finesse des vins.

Les meilleures années au point de vue vinicole sont celles où, après un hiver normal, le printemps a été lumineux, sec et tiède, l'été chaud, peu nuageux, avec alternance de pluie et de chaleur, et que le temps est resté sec pendant les vendanges. Mais tous les vins, même s'ils ont bénéficié de ces critères, ne tiennent pas ces promesses climatiques.

VIGNE *(histoire de la)*

La culture de la vigne, dont la Bible attribue l'invention à Noé, semble avoir commencé en Palestine et dans les pays environnants. La nature du sol, couvert de collines et de petites montagnes, y est favorable, ainsi que l'ensoleillement. S'il faut en croire la

Bible, les principaux vignobles de la Palestine étaient la montagne d'Engedi, les environs d'Hébron, Sichem, le Carmel, le Liban, les bords du lac de Génésareth... Ces vignobles étaient entourés de haies et de murs en pierres sèches destinés à les protéger des renards, des lièvres et des chèvres. Les ceps de vigne de la Palestine étaient renommés pour leur hauteur et leur grosseur.

Dès la plus haute Antiquité, en fait, l'homme a tiré du raisin de la vigne, qu'il trouve à l'état sauvage, un breuvage plus ou moins alcoolisé, qu'il obtient en pressant les grains fermentés au soleil, breuvage considéré comme un don du ciel, en raison de l'ivresse qu'il procure. Osiris en Égypte, Bacchus chez les Grecs, Saturne chez les Latins, Noé chez les Hébreux personnifient les premiers propagateurs du vin dans l'histoire ancienne.

La méthode gréco-romaine, qui consistait à enlacer la vigne à un échalas ou à un arbre, ne semble pas avoir été pratiquée ni en Palestine, ni en Égypte, ni en Asie en général, où l'on préférait laisser la vigne ramper à terre.

Ce sont les Phéniciens qui, les premiers, dix siècles avant notre ère, tirent la vigne des bords de la mer Noire et en introduisent la culture en Grèce, en Sicile, dans les îles méditerranéennes, enfin en Italie et dans le territoire de Marseille. Cette culture, une fois parvenue en Provence, s'étend bientôt, pendant les périodes gauloises puis gallo-romaines, sur les coteaux du Rhône, de la Saône, de la Garonne, de la Dordogne, dans le voisinage de Dijon, et jusque sur les bords de la Moselle.

Le vin des Anciens n'était pas un nectar ; il était souvent âpre et instable, proche du vinaigre, et on devait, pour le consommer, y ajouter des épices et des aromates. Peu relevé en alcool, coupé avec de l'eau, qu'il désinfectait, il était abondamment consommé (jusqu'à cinq litres par jour). Le vinaigre dans lequel le légionnaire, sur le Golgotha, trempe son éponge afin d'en humecter les lèvres du Christ qui a soif était en fait sa boisson réglementaire. On s'en servait aussi comme médicament (contre le tétanos, la ciguë et les venins) et comme désinfectant sur les plaies.

Les Grecs ont été les premiers à commercialiser le vin – une amphore de vin s'échangeait contre un jeune esclave. Sous les Gaulois, Narbonne et Port-Vendres étaient de grands ports vinicoles ; les amphores de vin qui y étaient débarquées étaient ensuite acheminées à dos de mulet à l'intérieur, jusqu'à Lutèce ou Nantes, ou par barques sur le Rhône. Les Gaulois, qui aimaient ce breuvage, décidèrent d'exploiter eux-mêmes des vignes et se procurèrent des ceps d'origine italienne, au grand dam des Narbonnais qui tentèrent – en vain – d'interdire à leurs voisins de planter de la vigne. Lorsque César s'en vint la conquérir, il fut surpris de trouver en Gaule des vins dignes de sa Rome natale.

L'empereur Domitien, surtout célèbre pour avoir pourchassé les chrétiens (c'est sous son règne que saint Jean fut exilé à Patmos, où il aurait rédigé L'Apocalypse) interdit, en 92, la culture de la vigne en Gaule et ordonna qu'on en arrache les plants parce qu'elle concurrençait trop les vins italiens. Il faut attendre Probus, empereur de 276 à 282, pour que les vignes soient replantées en Gaule. On en trouve alors dans la vallée du Rhône et en Bourgogne, dans toute l'Aquitaine, mais aussi du Bassin parisien au Val de Loire, en passant par les bords du Rhin... Des fabriques d'amphores (plus usitées pour le transport du vin que le tonneau, car moins lourdes et plus faciles à manier et à empiler dans les bateaux et les chars) naissent à Vienne (Isère) et à Gaillac. Les Allobroges du Dauphiné semblent être à l'origine, à cette époque, du pinot noir. Clovis, lorsqu'il prend le pouvoir, a un tel respect de la vigne qu'il menace de mort tout homme pris en train d'arracher un pied de sarment. Deux siècles plus tard, Charlemagne encourage les vignobles du Rhin.

Au fur et à mesure que la civilisation se développe, on perfectionne la fabrication du vin, on crée de nouveaux cépages. Ce sont les moines qui s'en chargent : les règles des monastères, exigeant que chaque abbaye ait sa vigne, afin de produire du vin de messe (et la piquette des moines) contribuent à l'expansion de la culture du vin. Ce sont des moines, chassés de Normandie par les Vikings, qui implantent en Bourgogne les cépages qui feront la gloire des clos de la région. Lors des croisades, les chrétiens ont l'occasion de goûter des vins riches d'autres parfums : le comte de Toulouse revient de Constantinople avec des cépages qui seraient à l'origine du rivesaltes et du frontignan.

La vigne, au Moyen Âge, devient une source de richesse et d'orgueil : les ducs de Bourgogne se flattent d'être qualifiés de *seigneurs immédiats des meilleurs vins de la chrétienté, à cause de leur bon pays de Bourgogne plus famé et plus renommé que tout autre en crus de bons vins...* Une rivalité s'instaure entre vignobles de Bourgogne et vignobles de Champagne. Les vins de Bourgogne sont déjà cités par Tacite (IIIe siècle). À partir du XIIIe siècle, le pommard et le volnay (vin préféré de Louis XI) ont glorieuse réputation ; au siècle suivant, le vin de Beaune, considéré comme le meilleur vin de France, est le seul à avoir le privilège d'être sur la table royale le jour du sacre. Louis XIV et ses médecins ne jurent que par le bourgogne.

Les vins de Champagne, eux, datent de l'empereur Probus, qui a fait planter les premières vignes. En 1397, Venceslas, roi de Bohême et empereur d'Allemagne, venu à Reims négocier un traité avec

Charles VI, trouve tant à son goût le vin local qu'il reste ivre mort pendant toute la durée des négociations. Agnès Sorel, maîtresse de Charles VII, raffole elle aussi du vin de Champagne, auquel elle trouve un goût de pêche... Mais ce n'est que vers 1695 que dom Pérignon, moine en l'abbaye d'Hautevillers, près d'Épernay, a l'idée de le rendre mousseux, mais aussi de fermer les bouteilles avec des bouchons de liège, à la place des chevilles de bois entourées de chanvre imbibé d'huile, ce qui devait « bouchonner » le breuvage. Il faudra attendre 1836 pour qu'un pharmacien de Châlons, Jean-Baptiste François, détermine avec précision les proportions de sucre pour obtenir les meilleurs vins mousseux.

Les vignobles de la région de Paris ont, eux aussi, des prétentions à la renommée ; déjà, en 360, l'empereur Julien l'Apostat écrivait, en parlant de Lutèce, où il aimait à séjourner : *L'eau en est pure, très agréable à boire. L'hiver y est tempéré. Les habitants commencent à planter des figuiers et on y récolte d'excellents vins*. Les rois de France imposent la culture de la vigne dans leurs domaines. Les capitulaires de Charlemagne fournissent déjà la preuve qu'il y a des vignobles attachés à chacun des palais habités, avec un pressoir et tous les instruments nécessaires à la fabrication des vins. L'enclos du Louvre, comme les autres maisons royales, a renfermé des vignes : en 1160, Louis VII le Jeune offre six muids de son vin du Louvre au curé de Saint-Nicolas. En 1582, Jean Liebault, docteur, écrit que *les vins de Vanves, d'Argenteuil, de Montmartre et autres qui croissent en terrains sablonneux, aux environs de Paris, sont les plus salubres*. Mais, poursuit-il, *les vins des environs de Paris comme Villejuif, Vitry, Ivry qui sont blancs, de Fontenay et de Montreuil qui sont rouges ne doivent être beaucoup pris à raison qu'ils sont d'un goût mal plaisant*.

Les vignes du Bordelais, elles aussi, sont réputées. Ausone, poète latin du IVe siècle, les chante dans ses écrits. Les vins du Médoc sont alors très prisés à Rome. La Gascogne, qui se montre plutôt accueillante à l'égard des Anglais, notamment pendant la guerre de Cent Ans, le fait pour des raisons commerciales : elle a besoin de l'Angleterre pour débiter ses vins (et Rouen doit sa prospérité au vin qui transite par son port pour gagner les pays du Nord). Un registre des droits de douane de Bordeaux de 1350 mentionne la sortie de 141 navires chargés de vin. En 1372, dit Froissard, on vit arriver à Bordeaux *toute une flotte, bien deux cents voiles et nefs de marchands qui allaient aux vins*. Les Anglais importent tant de bordeaux qu'ils en revendent ensuite une partie sur le continent. Mais c'est seulement sous le règne de Louis XV, grâce au maréchal de Richelieu, vieux libertin et bec fin, qui l'introduit à la Cour, que le bordeaux part à la conquête du marché français. Louis XVI apprécie le château-margaux.

Mais Napoléon, qui est anglophobe, reste fidèle aux bourgognes, savoure son chambertin quotidien (même lorsqu'il est en campagne, il en a dans ses bagages) et ordonne à ses soldats de présenter les armes lorsqu'ils passent devant le Clos-Vougeot. Sous la Restauration, les Bourbons, qui les ont appréciés lors de leur exil anglais, réhabilitent les bordeaux.

Survient, sous Napoléon III, le phylloxéra : il commence ses ravages dans le Gard en 1863, parvient à Meursault en 1878… Vingt ans plus tard, les vignerons ont reconstitué la vigne française en greffant quelques-uns de leurs anciens cépages sur des porte-greffes américains. Les vins français sont sauvés, et on les boit toujours…

VINIFICATION

Ensemble des opérations qui permet de transformer le jus de raisin en vin. Aujourd'hui, il existe un grand nombre de procédés de vinification grâce auxquels voient le jour des vins blanc, rouge, rosé, etc. (voir ces couleurs). La qualité du vin est étroitement liée à celle du vignoble (air, terre, climat, cépages). Il faut beaucoup de soleil pour cultiver du raisin, mais pas trop non plus : en France, les vins du Midi ne sont pas, paradoxalement, les plus cotés, car l'excès de soleil nuit à leur finesse et les prive d'acidité. Il faut également une bonne répartition des pluies ainsi qu'une humidité du climat. Le sol est, lui aussi, essentiel : plus il sera maigre et sec, plus le vin sera bon. Les racines de la vigne n'aiment pas l'humidité et préfèrent les terrains caillouteux, siliceux ou calcaires.

En principe, il faut environ 1,3 à 1,5 kg de raisin pour obtenir un litre de vin. Les étapes de la vinification sont l'égrappage, le pressurage, la macération et la fermentation, mais elles diffèrent selon le raisin vendangé et le vin que l'on veut obtenir. L'art délicat de la vinifation était autrefois empirique ; il est devenu scientifique, avec les œnologues. Mais le savoir-faire du vinificateur reste essentiel.

Les vins rouges sont élaborés à partir de raisins rouges, les vins blancs à partir de raisins blancs ou de raisins rouges. Le vin rosé (élaboré à partir de raisins rouges) est, lui, soit du *rosé de saignée* (vinifié comme un vin rouge mais avec une macération très courte avant le pressurage), soit du *rosé de pressée* (vinifié comme un vin blanc).

Après le pressurage, le vin est clarifié, stabilisé puis élevé (notamment en fûts de chêne) plus ou moins longtemps, selon les millésimes. Lorsque le viticulteur jugera qu'il a atteint le terme de son évolution, qu'il est épanoui, il filtrera le vin avant de le mettre en bouteilles.

VSOP

Abrévation de *Very Superior Old Pale* : mention que l'on trouve sur les étiquettes de bouteilles de cognac ou d'armagnac, qui précise l'âge de la plus jeune eau-de-vie de l'assemblage (voir plus loin le chapitre « Les vignobles de France »). *VO* signifie *Very Old* et est équivalent en âge.

DÉGUSTATION
DU VIN
Les mots du vin
Alliance des mets
et des vins

Les principes

ACIDITÉ

Plus un vin est acide, plus il doit être bu frais (cas des vins blancs secs). Mais attention, pas glacé ! sinon, ses arômes disparaissent.

AMPÉLOGRAPHIE

L'ampélographie (du grec *ampelos*, vigne) est l'étude scientifique de la vigne ; elle permet l'identification des cépages par l'observation des bourgeons, feuilles, rameaux, etc.

ARÔME

L'arôme d'un vin, c'est l'impression que les composés volatils qu'il contient produisent sur l'odorat. Pour les vins rouges, l'arôme est souvent désigné par le mot *bouquet*, pour les vins blancs par le mot *parfum*. Les cépages sont primordiaux dans l'arôme d'un vin. On trouvera ci-après, à leur nom, les caractéristiques aromatiques des grands cépages blancs et rouges : *chardonnay, sauvignon, chenin, riesling, gewürztraminer, viognier, muscat, cabernet-sauvignon, merlot, cabernet franc, gamay, syrah, pinot noir, grenache*, etc.

CABERNET FRANC

Cépage rouge
Cépage de la région Aquitaine et du Val de Loire, il donne des vins rouges souples aux arômes fruités (fraise, framboise, cassis...).

CABERNET-SAUVIGNON

Cépage rouge
À l'origine cépage du Bordelais et du Sud-Ouest, on le trouve désormais aussi dans le Val de Loire, en Languedoc et en Provence. Il donne des vins tanniques, de longue garde, aux arômes de fruits rouges (cassis) et de chocolat noir.

CHARDONNAY

Cépage blanc
On le trouve dans les grands vins blancs de Bourgogne, en Champagne, dans le Jura, en Val de Loire, en Languedoc-Roussillon. Il donne des vins amples et souples, de bonne garde, aux arômes fins et fruités.

CHENIN

Cépage blanc
On le trouve surtout en Val de Loire, dans les blancs secs ou demi-secs comme dans les mousseux et les moelleux. Acide, il a des arômes fruités (pomme, poire, abricot, noix...).

DÉCANTAGE

Action de séparer le vin, avant de le consommer, de son dépôt. On verse lentement le vin dans une carafe, en veillant à ce que le dépôt reste dans la bouteille d'origine. L'opération permet, en outre, au vin de « respirer » et à ses arômes de s'épanouir. Un vin, même jeune, y gagnera en maturité, quant à son bouquet.

DÉGUSTATION

La dégustation d'un vin commence par son analyse sensorielle, en faisant appel à la vue, au nez et au goût.

– La vue permet d'analyser *la robe* d'un vin, c'est-à-dire sa teinte (jaune paille, tuilé, grenat…). Lorsque le vin est effervescent, on analyse l'intensité et la finesse des bulles dégagées.

– L'odorat permet de définir *le nez du vin*, son bouquet. On le hume d'abord sans remuer le vin. Puis on fait tourner le vin dans le verre (en l'oxygénant ainsi, on lui permet d'exhaler son bouquet). On le hume rapidement. On recommence à faire tourner le vin dans le verre et on le respire profondément. On analyse les odeurs perçues (voir *Odeurs*, pp. 81-82).

– Le goût permet de définir *la saveur du vin*, c'est-à-dire s'il est sucré ou acide, astringent ou piquant… et son arrière-goût. C'est en fonction de la saveur d'un vin qu'on le choisira pour accompagner tel ou tel plat, afin que cette saveur se marie harmonieusement avec celle du plat.

En résumé, on verse un peu du vin, amené à bonne température (voir *Température*, p. 84), dans un verre à dégustation ; on examine sa couleur, puis on imprime au verre quelques mouvements giratoires pour favoriser l'expansion de l'arôme et sentir le bouquet ; on mouille ensuite la pointe de sa langue, pour juger de son acidité, de son astringence ; si aucun parfum, aucun goût ne domine, on en déduira que le vin est équilibré. On en prend alors une bonne gorgée, on la promène dans sa bouche et on la retient pendant un certain temps à l'entrée du pharynx, où les sensations sont nettes, afin de mesurer ses qualités de corps, de finesse, de moelleux...

Enfin on avale lentement le liquide en faisant une large inspiration, pour pouvoir juger de son arrière-goût. Seuls les gourmets émérites et les sommeliers les mieux entraînés sont, après une telle opération, capables de donner le cru, le millésime, les cépages et les parfums qui les composent... Mais vous-même serez capable de dire si le vin dégusté est corsé, léger, sec, doux ou liquoreux, si c'est un bourgogne ou un bordeaux, un vin jeune ou un vin vieux...

GAMAY

Cépage rouge

Cépage exclusif dans le Beaujolais, on le trouve aussi dans le Val de Loire, en Bourgogne, en Savoie, en Auvergne... Le gamay donne des vins rouges fruités et souples pouvant être bus jeunes. Il a des arômes fruités (fraise, cerise... et banane pour les *beaujolais nouveaux*).

GEWÜRZTRAMINER

Cépage blanc

Caractéristique d'Alsace, il donne des vins blancs secs ou moelleux, ronds en bouche, aux arômes de rose et, parfois, d'épices (gingembre, notamment).

GRENACHE

Cépage rouge

On le trouve dans le Languedoc-Roussillon, en vallée du Rhône (Châteauneuf-du-Pape) et dans des vins doux naturels (banyuls, maury). Il donne des vins puissants en alcool, souples, qui développent des arômes de framboise, poivre, foin...

MERLOT

Cépage rouge
On le trouve dans le Bordelais et le sud de la France.
Il a des arômes de fruits rouges (cerise, etc.), de
prune, d'épices, et donne des vins rouges corsés,
souples, d'évolution rapide.

MILLÉSIME

Le millésime est l'année de la récolte d'un vin. Tous
les vins de qualité (à l'exception des champagnes, qui
se font par assemblage) sont millésimés, c'est-à-dire
qu'ils portent sur leur étiquette leur « année de naissance ». Mais cette indication du millésime n'est pas
obligatoire pour les AOC et les VDQS (et elle est interdite pour les vins de table et les vins de pays).

Lorsque le vin n'est pas millésimé, c'est qu'il s'agit
vraisemblablement d'un assemblage entre le vin de
l'année et un vin gardé en réserve, ou un vin d'une
mauvaise année. Toutefois un vin non millésimé
n'est pas obligatoirement détestable, il peut même se
révéler très bon, mais il faut le consommer rapidement car il ne se gardera pas. Cette précision était
encore valable il y a une trentaine d'années. Depuis,
l'évolution des techniques vinicoles permet de millé-
simer les vins sans craindre de mauvaises surprises.

Pour obtenir un grand millésime, il faut, après un
hiver normal, un printemps lumineux, sec et tiède,
un été chaud, peu nuageux, avec alternance de pluie
et de chaleur, et, à partir d'août, un maximum de
chaleur sur le raisin. Le temps doit rester sec pendant
les vendanges, sinon le raisin va se gorger d'eau et,
dans le pire des cas, subir une pourriture accélérée.
Ce temps idéal n'a pas été atteint depuis 1961 (le millésime du XXe siècle). Ci-après, un tableau des millésimes, selon les régions, sur quinze ans.

Millésime	1985	1986	1987	1988	1989	1990	1991
Alsace	A 4	XX	XX	A 3	A 3	A 3	A 2
Beaujolais	XX	XX	XX	XX	XX	XX	A 4
Bordeaux rouge	A 4	B 3	XX	B 3	B 4	A 4	A 2
Bordeaux blanc sec	A 2	A 2	XX	A 4	A 4	A 2	A 2
Bord. blanc liquoreux	A 2	A 3	XX	C 4	B 4	C 4	A 2
Bourgogne rouge	B 3	XX	XX	C 3	C 3	A 4	A 2
Bourgogne blanc	A 3	A 2	XX	A 2	B 4	B 3	A 2
Côtes-du-rhône	A 3	XX	XX	A 3	C 3	C 3	XX
Languedoc-Roussillon	B 3	A 2	XX	B 3	B 3	A 3	A 3
Loire rouge	A 3	A 2	XX	A 2	A 4	A 3	A 2
Loire blanc	A 3	A 2	XX	A 3	A 4	A 3	A 1
Sud-Ouest	A 4	XX	XX	A 3	A 3	A 3	A 2

XX : mauvaise année ou année dont, théoriquement, il ne reste plus de bouteilles, celles-ci n'appartenant pas à un millésime de garde et ayant été consommées.

A 1 : À boire immédiatement ; petite année.
A 2 : À boire immédiatement ; bonne année.
A 3 : À boire immédiatement ; très bonne année.
A 4 : À boire immédiatement ; année exceptionnelle.

MUSCAT

Cépage blanc

Il donne, dans la vallée du Rhône (Beaumes-de-Venise) et dans le Languedoc-Roussillon (muscat de Frontignan, de Saint-Jean-de-Minervois, de Rivesaltes...), des vins blancs secs ainsi que des vins doux naturels. Il a des arômes fruités (raisin, orange) et de sucre (cassonade).

1992	1993	1994	1995	1996	1997	1998	1999	2000	2001
XX	A 2	A 3	C 3	A 3	A 2	B 2	B 2	B 3	C 3
XX	XX	XX	XX	XX	B 2	B 3	B 2	A 3	B 2
XX	A 2	A 3	C 3	B 3	A 2	C 4	A 2	C 3	B 2
XX	A 2	A 3	B 2	B 2	A 2	B 2	A 2	B 2	A 2
XX	A 1	B 2	B 3	B 3	B 4	B 3	A 2	A 2	C 4
XX	C 2	A 1	A 2	C 4	A 4	B 4	C 4	B 2	A 3
XX	A 2	A 2	B 3	B 3	A 2	A 2	A 2	B 3	C 3
XX	A 2	A 2	C 3	B 2	A 2	C 3	C 4	B 3	B 3
XX	A 2	A 2	C 3	B 2	A 2	C 4	B 3	B 3	B 4
XX	A 2	A 2	B 3	B 4	A 3	B 2	A 2	B 3	B 3
XX	XX	A 1	A 4	B 4	A 2	B 2	A 2	C 3	B 3
XX	A 2	A 3	C 3	A 3	A 2	B 2	B 2	B 3	C 3

B 1: À boire dans les cinq ans ; petite année.
B 2: À boire dans les cinq ans ; bonne année.
B 3: À boire dans les cinq ans ; très bonne année.
B 4: À boire dans les cinq ans ; année exceptionnelle.

C 1: À conserver ; petite année.
C 2: À conserver ; bonne année.
C 3: À conserver ; très bonne année.
C 4: À conserver ; année exceptionnelle.

ODEURS

Lorsqu'on respire un vin, les odeurs perçues sont interprétées selon neuf classifications :
– *fruitée* (banane, cassis, pomme…) ;
– *végétale* (foin, tilleul…) ;
– *florale* (acacia, violette…) ;
– *chimique* (éventé, piqué…) ;
– *balsamique* (vanille, résineux…) ;
– *animale* (musqué…) ;

– *épicée* (muscade, clou de girofle…) ;
– *boisée*, ou *brûlée* (fumé, caramélisé…).

ŒNOGRAPHILE

Celui qui pratique l'œnographilie, c'est-à-dire qui collectionne les étiquettes de bouteilles de vin.

ŒNOLOGIE

Science du vin, de sa vinification, des éléments qui le constituent et de sa conservation, science appliquée par l'*œnologue*, qui, souvent, assiste le viticulteur-récoltant dans ses choix de cépages et de vinification.

ŒNOPHILE

Amateur éclairé de bon vin.

OLFACTION

Fonction de l'odorat (lorsque, au cours de la dégustation, on détecte les arômes directement par le nez).

PERSISTANCE

La persistance, lorsqu'on déguste un vin, est l'impression que laisse le vin dans la bouche après qu'il a été consommé. La persistance est d'autant plus longue que la qualité du vin est grande.

PINOT NOIR

Cépage rouge
On le trouve dans les grands vins rouges de Bourgogne, mais aussi en Alsace et dans le Jura, voire en Champagne (où il est vinifié en blanc). Bu jeune, il a des arômes de fruits rouges (cassis, framboise,

fraise, cerise) ; bu vieilli, il développe des arômes d'épices et de venaison.

RIESLING

Cépage blanc
Plus ancien cépage d'Alsace, on le trouve dans des vins secs, qui vieillissent bien ; il a des arômes fruités (pomme verte, coing...), mêlé à des arômes de pain grillé en vieillissant.

SAUVIGNON

Cépage blanc
On le trouve essentiellement dans le Val de Loire, le Bordelais et le Sud-Ouest. Vif, en raison de son acidité, il a des arômes de foin et de cassis.

SERVICE DU VIN

On sert le vin en carafe (si on l'a fait décanter) ou dans sa bouteille d'origine. La bouteille se sert droite. Il faut éviter de la secouer. On sert le vin l'étiquette en haut, et la main sur l'étiquette, et non au col. Les grands vins se servent couchés en panier d'osier.

Pour décanter un bordeaux (on l'a chambré débouché), on verse lentement le vin dans une carafe également chambrée, sans secousse, en veillant à ce que le dépôt, s'il y en a un, reste dans la bouteille. On ne décante pas les bourgognes, mais on veille à ne pas faire passer le dépôt dans les verres.

Les vins frappés, mis à la glace dans un seau, sont servis avec une serviette repliée autour du goulot.

Quand on débouche le vin, on évite de le secouer ; quand il est débouché, on flaire le bouchon, on goûte le vin et, s'il n'est pas « bouchonné », on le verse aux convives (cette règle ne vaut pas pour le champagne et les mousseux, qui doivent être servis rapidement).

Il est d'usage qu'une femme ne serve pas de vin à un homme, sauf dans l'intimité. *Idem* pour l'invité d'honneur : c'est lui que l'on honore, en le servant.

SOMMELIER

Celui qui, dans un restaurant, est responsable de la carte des vins ; il choisit, achète les vins et veille à leur conservation. Il conseille également les clients dans leur choix, afin de mettre en harmonie les plats et les crus qui les accompagnent.

SYRAH

Cépage rouge

Cépage caractéristique des côtes du Rhône septentrionales, on le trouve aussi en Provence, dans le Languedoc-Roussillon. Il donne des vins puissants, aux arômes fruités (violette, framboise mûre) et, en vieillissant, des arômes d'épices, de poivre et de cuir.

TEMPÉRATURE

Au sortir de la cave, on porte les vins à la température qui leur convient le mieux, soit :
- 17° à 18° pour les *bordeaux rouges* ; on les met dans la salle à manger quelques heures à l'avance, une demi-heure seulement si la pièce est chauffée ;
- 12° à 13° pour les *bourgognes rouges* ; ce sont des vins capiteux qui prennent leur arôme dans la chaleur du palais ;
- 10° pour les *vins blancs non mousseux* ;
- 8° pour les *vins blancs mousseux* ; on les met dans un seau rempli de glaçons.

VERRE

Si les crus sont bons, la carte recherchée, on change les verres à chaque changement de vin. Éviter les verres colorés ou gravés, préférer des verres fins, transparents, ronds ou ovoïdes, avec des bords légèrement refermés en haut, afin que les arômes puissent s'y épanouir et s'y conserver. Le verre à champagne est fuselé, le verre à bourgogne ventru, plus large et plus court que le verre à bordeaux, lui plus élancé ; le verre d'alsace a une longue jambe au-dessus de son pied. Tous sont « en tulipe », avec un pied (et une jambe) suffisamment longs pour qu'on puisse tenir le verre sans le chauffer avec sa main.

VIOGNIER

Cépage blanc
On le trouve surtout dans le nord des côtes du Rhône (Condrieu et Château-Grillet). Il donne des vins blancs secs aux arômes floraux (aubépine), fruités (citron vert, abricot) et animaux (musc).

Les mots

AMPLE

Un vin ample est agréable au goût, charnu.

ÂPRE

Un vin âpre au goût passe difficilement par la gorge ; s'il agace en outre les dents, il est dit *acerbe*.

AROMATIQUE

Un vin aromatique est riche en arômes.

ASTRINGENCE

Âpreté en bouche due à un vin tannique, les tanins jeunes piquant les muqueuses de la bouche. L'astringence se caractérise par l'assèchement de la bouche.

BLEU

Un vin bleu – ou *gros* vin — est un vin âpre et peu corsé. Le vin rouge de Suresnes, sympathique piquette, était appelé le *petit bleu*.

BOISÉ

Un vin boisé a acquis, lors d'un vieillissement en fûts de bois, un goût de vanille ou de caramel.

BOUCHE

Ensemble des sensations ressenties sur la langue et le palais lorsqu'on déguste le vin.

BOUCHONNÉ

Un vin bouchonné a un goût de bouchon lorsqu'on le respire au-dessus du verre ou du goulot de la bouteille. Il est inconsommable.

BOUQUET

Ensemble des sensations olfactives que procure un vin, surtout rouge (on parle aussi de *parfum* pour les vins blancs). Synonyme d'arôme (voir *Aromatique*, p. 87), le bouquet résulte de la combinaison de l'arôme du raisin, d'un deuxième arôme né pendant la fermentation et d'un troisième arôme qui s'est épanoui par le vieillissement.

BOURRU

Un vin bourru est un vin jeune chargé de particules solides, au sortir de la cuve de fermentation. Il est trouble et inachevé.

CAPITEUX

Un vin capiteux monte à la tête. Il est bien alcoolisé, équilibré, puissant et chaleureux.

CHAMBRÉ

Vin qui a été porté à une température de 16° avant sa dégustation.

CHARNU

Un vin charnu possède un bon équilibre entre les tanins et le moelleux apporté par l'alcool.

CHARPENTÉ

Un vin charpenté est un vin alliant richesse en alcool et harmonie des éléments qui entrent dans sa composition, un vin d'une bonne année, dont les raisins ont bénéficié d'une maturité optimale.

CORPS *(avoir du)*

Un vin qui a du corps est charpenté, charnu, corsé. Sa *corpulence* découle de sa teneur en alcool.

CORSÉ

Un vin corsé est un vin fort en alcool, bien coloré, qui donne dans la bouche une impression de consistance. On dit aussi qu'il *a de la chair*, qu'il *emplit la bouche*, qu'il *a de la mâche*.

CUISSE *(avoir de la)*

Vin charnu, rond. L'expression est un peu tombée en désuétude.

DÉPOUILLÉ

Un vin dépouillé est un vin limpide, débarrassé des particules solides qui le troublaient.

DOUX

Un vin doux a peu fermenté. Il vaut mieux un vin blanc doux, la douceur étant un défaut pour un vin rouge.

DUR

Un vin dur manque de moelleux.

EMPYREUMATIQUE

Mot savant qui, en chimie, désignait la saveur forte et âcre de certaines substances organiques soumises à un feu violent ; en œnologie, sont empyreumatiques les odeurs de cuit, tabac, brûlé, fumée, grillé, caramel, chocolat, cacao, pierre à fusil, silex, poudre…

ÉPICÉ

Un vin épicé présente des arômes d'épices (cannelle, clou de girofle, noix de muscade, poivre…).

ÉTOFFÉ

Voir *Corsé* (p. 89).

ÉVENTÉ

Un vin éventé est un vin qui a perdu son goût et ses arômes, parce qu'il est resté trop longtemps ouvert ; ses parfums se sont évaporés au contact de l'air.

FERMÉ

Un vin fermé n'est pas encore arrivé à maturité ; il a été débouché trop tôt, ses qualités ne s'expriment pas encore dans leur totalité.

FINALE

C'est la dernière impression gustative.

FINESSE

Un vin fin se distingue par la délicatesse de sa sève, l'agrément de son arôme, la netteté de son goût et de sa couleur.

FORT

Un vin fort est chargé en alcool ; on dit encore qu'il a du *feu*.

FRAIS

Un vin frais, à température ambiante, donne par sa saveur légèrement acidulée une sensation de fraîcheur agréable au palais, due à l'équilibre entre sa teneur en alcool, en acides et en mucilages.

FUMEUX

Un vin fumeux donne l'impression d'avoir des fumées qui montent à la tête ; c'est alors un vin *casse-tête*.

FRIAND

Un vin qui se boit avec plaisir.

FRUITÉ

Un vin fruité est un vin qui a la saveur du raisin.

GÉNÉREUX

Un vin généreux produit, même en petite quantité, une sensation de bien-être, un effet tonique.

GLYCÉRINÉ

Un vin glycériné est riche en glycérine, constituant du vin qui lui donne son onctuosité et son moelleux.

GOULEYANT

Vin agréable en bouche, souple, désaltérant, facile à boire.

GRAS

Un vin gras est moelleux, tout en ayant de la chair, de la rondeur.

JAMBES

Les jambes d'un vin (ou *larmes*), ce sont les traces transparentes qui ornent les parois du verre lorsqu'on y a fait tourner le vin ; elles témoignent de sa teneur en alcool (et en glycérol).

LÉGER

Vin peu chargé en alcool, peu coloré.

LIQUOREUX

Un vin liquoreux est un bon vin plus ou moins capiteux, ayant une saveur douce et sucrée, agréable. Ce qualificatif s'applique surtout aux vins blancs (château-yquem, par exemple). On désigne aussi des vins liquoreux comme *vins de paille*, parce qu'on emploie pour leur fabrication des raisins dans lesquels on a concentré le sucre en les faisant plus ou moins sécher au soleil, au préalable, sur de la paille. Les *vins de liqueur*, rouges ou blancs, se distinguent des vins liquoreux par une douceur prononcée due à un soleil ardent ou à une cuisson du moût ; dans ce cas, on les appelle encore *vins cuits* (le frontignan, par exemple).

LONG

Un vin long est un vin *persistant*, parce que l'on garde longtemps en bouche la sensation qu'il a procurée lorsqu'on l'a dégusté.

LOURD

Un vin lourd contient trop de tanins, d'où sa digestion difficile.

MÂCHE *(avoir de la)*

Un vin qui a de la mâche est au faîte de sa plénitude ; il est si charnu en bouche, il a tant de corps qu'on a l'impression de pouvoir le mâcher.

MADÉRISÉ

Un vin madérisé est un vin *oxydé* (voir p. 94) dont le goût rappelle celui du madère (vin de l'île de Madère, au large du Portugal, qui est porté à une température de 50° avant d'être lentement refroidi, et qui s'améliore en vieillissant).

MINCE, MAIGRE

Un vin mince, ou *maigre*, est un vin très léger, manquant de corps et de couleur. Quand on le déguste, on a l'impression qu'il n'y a rien entre la langue et le palais.

MOELLEUX

Un vin moelleux flatte le palais et chatouille agréablement les papilles par la saveur fondue qui résulte des gommes et de la glycérine. On dit aussi qu'il est *coulant*, ou *tendre*. Il est velouté en bouche. Un vin qui manque de moelleux est qualifié de *dur*.

MORDORÉ

Vin qui, après un long vieillissement, est devenu brun-jaune.

MUSQUÉ

Un vin musqué a une saveur qui rappelle celle du musc.

NERVEUX

Vin qui est à la fois vif et corsé (qui a de la chair).

ONCTUEUX

Un vin onctueux joint le moelleux à la douceur ; il a du gras, de la rondeur (le sauternes, par exemple).

OXYDÉ

Un vin oxydé est un vin dont la robe et les arômes ont été modifiés par une oxydation, par exemple par le rajout de tanins ou de matières colorantes.

PERLANT

Un vin perlant est un vin légèrement pourvu en gaz carbonique, donc moins mousseux qu'un vin pétillant.

PLAT, MOU

Un vin plat, ou *mou*, manque de corps.

QUEUE DE PAON

Un vin fait dans la bouche la queue de paon lorsqu'il est *suave*, c'est-à-dire qu'il dégage une impression de douceur et de plénitude.

ROBE

C'est la couleur du vin ; elle est due aux œnotanins qui ont aussi pour effet de tempérer l'action de l'alcool sur le système nerveux, ce qui explique pourquoi les vins blancs, qui contiennent moins d'œnotanins que les vins rouges, sont plus excitants.

ROND

Un vin rond est un vin souple, légèrement velouté.

SEC

Un vin rouge sec manque à la fois de moelleux et de chair ; il est légèrement astringent. Certains vins rouges deviennent secs en vieillissant. Mais un vin blanc sec est un bon vin qui n'est pas liquoreux ; il chauffe la langue et excite le système nerveux (le chablis, par exemple, est un vin sec).

SÈVE

La sève d'un vin est sa qualité vitale, celle qui parvient de son cépage. On la perçoit à l'arrière-bouche, dès la première gorgée. Quand un vin devient trop vieux, il perd sa sève (d'aucuns diront son âme), il est passé, presque mort. Un vin qui a la sève abondante et agréable est dit *distingué*.

SOUPLE

Un vin souple n'est ni trop acide ni trop tannique.

TANNIQUE

Un vin tannique est un vin riche en tanins, substance astringente provenant du bois du tonneau ou des rafles de raisin. La sensation d'astringence se caractérise par l'assèchement de la bouche. Les tanins favorisent le vieillissement des vins rouges.

TUILÉ

Un vin tuilé est un vin rouge oxydé, de teinte rouge brique. Les vins tuilés sont souvent la conséquence d'une madérisation, opération qui consiste à porter le vin à une température de 50°, puis à le laisser lentement refroidir pour lui faire acquérir une saveur caractéristique de caramel.

VELOUTÉ

Vin à la fois fin et moelleux.

VENAISON

Odeur rappelant celle du gibier qu'ont des vins vieux au débouchage de la bouteille ; cette senteur disparaît par aération du vin.

VERT

Un vin vert a une saveur astringente due au manque de maturité du raisin ou à une acidité élevée. Il demande à vieillir davantage.

VIF

Vin qui emplit le palais sans saveur acide ; les vins vifs sont généralement caractérisés par une robe brillante.

Les vins et la santé

CŒUR

Le vin serait bon pour le cœur chez les individus de plus de 50 ans. Il diminuerait le risque de maladie cardiaque (infarctus, entre autres) entre 10 et 50 %. Mais à condition de boire avec modération : deux verres par jour pour l'homme (20 g d'alcool), entre un et deux verres par jour pour la femme. C'est l'éthanol, alcool contenu aussi dans la bière et les spiritueux, qui assurerait ce rôle de protecteur des artères usagées. Mais c'est lui aussi qui, si on en abuse, s'attaque au foie (cirrhose) !

DIGESTION ET PRISE DE CALORIES

Le vin est *tonique* et *fortifiant*, en partie en raison du fer qu'il contient. Il est digestif par ses *ferments*. Il facilite donc la digestion, augmentant la production du liquide gastrique dans l'estomac, et facilitant l'assimilation des protéines. Le tanin des vins rouges régule le fonctionnement du côlon.

Les vins blancs jeunes, de même que les vins blancs mousseux, sont plus ou moins *laxatifs*, à cause du gaz carbonique qu'ils contiennent ; les vins blancs légèrement acidulés ont des propriétés *diurétiques*.

Pris en quantité modérée, le vin est globalement bienfaisant. Il stimule l'appétit et, à lui seul, constitue un aliment par ses hydrocarbures, ses matières albumineuses et gélatineuses et par ses sels. Au-delà de 1,2 g d'alcool par jour et par kilo de poids, le vin, comme les autres boissons alcoolisées, devient toxique, l'organisme étant incapable d'oxyder le surplus d'alcool. À titre d'exemple, une bouteille de 75 cl titrant 12° contient 9 cl d'alcool, soit 72 g ; un homme de 80 kg « a droit » à 96 g. Il pourra donc déguster sa bouteille lors de ses deux repas de midi et du soir, mais éviter apéritif et digestif. Il devra en outre, s'il suit un régime, penser aux calories contenues dans l'alcool : 1 g d'alcool apporte 7 calories, c'est-à-dire que sa bouteille à 12° contient 504 calories ; sachant qu'un sédentaire de son poids ne doit pas dépasser par jour l'absorption de 1 700 calories environ, il lui faudra, pour éliminer sa bouteille, faire une heure de jogging ou une heure de saut à la corde.

Les mets et les vins

Entre les mets et les vins, pour mettre en relief leur valorisation mutuelle, il n'y a pas de règle absolue, mais il existe quelques principes de base. C'est l'étoffe des saveurs qui doit présider à l'ordonnance des vins : du plus léger au plus corsé, du vin de petite année au grand millésime.

Les modes changent, et il n'est plus sacrilège de proposer un vin rouge léger sur un poisson.

Voici ce que proposaient, pour le service des vins, les livres de cuisine des Années folles : constituer une gamme allant du plus léger au plus généreux. Si on sert un madère, porto ou xérès, c'est juste avant un potage. On sert ensuite le poisson avec un vin blanc assez léger de Bordeaux ou de Bourgogne. Les entrées en sauce sont accompagnées de médoc ou de saint-émilion. Avec le rôti, un grand bordeaux rouge ou, avec le gibier, un grand cru de Bourgogne, pommard ou hospices-de-beaune. Avec les viandes froides, pâtés, mousses et autres foies gras, un bourgogne. Un vin blanc doux (sauternes) accompagnera la glace, et le champagne conclura avec les fruits et desserts.

En 1938, les grands magasins de la Samaritaine, à Paris, lors d'une mise en vente de grands crus, proposaient, au verso du prospectus, les conseils suivants : « Nous nous permettons de rappeler à nos clients que pour obtenir une parfaite conservation des vins, il est indispensable de toujours tenir les bouteilles couchées dans un endroit frais. Nous pensons leur être agréables en leur donnant ci-dessous quelques indications concernant le service des vins.

Les vins blancs, bordeaux, bourgogne, anjou, alsace, doivent être servis très frais. Ils accompagnent très bien le poisson ou les coquillages.

Les vins rouges de Bordeaux demandent à être bus chambrés à 18° environ (température de l'appartement) ; ils se goûtent parfaitement avec un rôti ou une volaille.

Les vins rouges de Bourgogne, du Beaujolais et les côtes-du-rhône se boivent un peu moins chambrés que les bordeaux ; une température de 12° environ (température de la cave) facilite le développement de leur bouquet ; les gibiers, les daubes, les rôtis n'ont pas de meilleurs compagnons.

Aucun vin n'est bon avec la salade ou les mets vinaigrés.

Au dessert, prendre de préférence des vins blancs très moelleux : sauternes, sainte-croix-du-mont ou, ce qui est mieux, des vins de liqueur, muscat, malaga, malvoisie, qui paraîtront délicieux parce que très sucrés.

Au bout d'un certain temps de séjour en cave, le vin peut déposer, il ne faut pas s'en inquiéter, c'est normal ; en ce cas, vider la bouteille avec précaution pour éviter que le dépôt ne trouble le vin.

Nous croyons devoir rappeler à nos clients qu'un vin très vieux n'est pas obligatoirement meilleur, et qu'il est préférable de consommer un vin qui peut paraître encore jeune, mais qui est parfait, plutôt que de le laisser passer en le conservant trop longtemps. »

Voici, en fonction des plats choisis pour vos repas, qu'ils soient intimes ou de gala, quelques suggestions pour les accompagner (la liste n'est pas exhaustive, les goûts étant aussi partagés que les vins).

AGNEAU/MOUTON

Qu'il soit présenté rôti ou en sauce, plutôt des vins rouges (pauillac, pomerol, côte-de-nuits, cahors, rully, hermitage, châteauneuf-du-pape, givry, montagny, mercurey, minervois, beaujolais, côtes-du-rhône, côte-de-beaune, bourgogne passe-tout-grain...).

APÉRITIFS

– *Vins effervescents* : champagne et vins champagnisés, vouvray, saumur, blanquette de Limoux, clairette de Die, gaillac...

– *Vins blancs* : alsace, bourgogne, mâcon, sancerre, médoc blanc, muscadet, chablis... (prévoir la crème de cassis, pour les *kirs*, en veillant à ce que son sucre ne détruise pas l'arôme du vin).

– *Vins blancs moelleux* : anjou, vouvray, monbazillac, gewürztraminer...

– *Vins blancs liquoreux* : coteaux-du-layon, sauternes, vin de paille, jurançon...

– *Vins doux naturels* : banyuls, rivesaltes, muscats, rasteau, beaumes-de-venise...

– *Vins rouges servis frais* : beaujolais...

– *Vins rosés servis frais* : vins de sable, rosé de Provence, côtes-de-buzet rosé...

BŒUF

De préférence des vins rouges de caractère, plus ou moins corsés, selon le plat (brouilly, bourgueil, côte-de-beaune, graves, buzet, saint-émilion, champigny, cahors, châteauneuf-du-pape, aloxe corton, gigondas, madiran, listrac, margaux, moulis, rully, saint-julien, bandol...).

CHAMPIGNONS *(fricassée de)*

Des vins rouges parfumés (vin de Loire, côtes-du-rhône, saint-émilion, côte-de-beaune...), des rosés corsés (tavel...).

CHARCUTERIE

Accompagner, si possible, les charcuteries (jambon, terrine, pâté, saucisson, andouille...) avec le vin de pays d'où elles sont originaires. Autrement, toute la gamme des beaujolais (beaujolais-villages, régnié, saint-amour, morgon, moulin-à-vent, brouilly...), du chinon, des côtes-du-rhône, éventuellement des rosés...

CRUSTACÉS

Sur les coquillages, du vin blanc sec (muscadet, chablis, entre-deux-mers, gros-plant, graves blanc...). Si c'est du homard ou de la langouste, prendre un grand vin blanc, à la hauteur du prix (meursault, hermitage, corton, condrieu...), mais aussi du champagne.

DESSERTS

Sur les crèmes, entremets et pâtisseries, on boit du champagne, des vins liquoreux ou moelleux (sauternes, coteaux-du-layon, monbazillac, clairette de Die, jurançon...), on peut marier chocolat et muscat, banyuls ou rivesaltes ; sur les glaces et sorbets, on boit un verre d'eau fraîche.

ENTRÉES CHAUDES

Vol-au-vent, quenelles, ris de veau, escargots, etc. sont à déguster avec des blancs demi-secs (riesling...), des rouges (beaujolais, bourgueil, hermitage...).

ENTRÉES FROIDES

Asperges, avocat, salades, etc. sont à déguster avec des vins blancs (alsace, bourgogne, bourgogne aligoté, muscadet...) ou des rosés.

FOIE GRAS

Il se déguste avec les plus grands vins blancs (montrachet, pécharmant, corton-charlemagne, jurançon...)

FROMAGES

Sur le fromage, terminer le vin du repas. Sinon, associer les fromages avec des vins qui ont la même origine géographique qu'eux. Sur les *pâtes molles douces* (brie, carré de l'Est...), mettez des vins rouges légers (beaujolais, médoc, vins de Loire et du Languedoc) ; sur les *pâtes molles fortes* (camembert, munster, maroilles, livarot...), mettez des vins rouges corsés (pomerol, bourgogne, fitou...) ; sur les *pâtes sèches douces* (saint-nectaire, Port-Salut...), mettez des vins rouges légers et fruités (beaujolais, chinon, bourgueil) ou des rosés de Touraine et d'Anjou ; sur les *pâtes sèches fortes* (gruyère...), mettez des vins légers, fruités, rouges ou blancs (mâcon, beaujolais, arbois...). ; sur les *pâtes persillées* (roquefort, bleu d'Auvergne...), mettez du bourgogne rouge ou un blanc moelleux ; sur les *fromages de chèvre* essayez un vin rouge de Loire ou un rosé de Provence ; et sur un *fromage frais*, buvez de l'eau...

GELÉE *(viande en)*

Blancs (graves, côtes-du-rhône, mâcon...) ou rouges légers (médoc, saumur-champigny, beaujolais...).

GIBIER

Des vins rouges corsés et capiteux pour accompagner le gibier, cornas, fitou, ou grand bourgogne rouge des côte-de-nuits (corton, échézeaux, musigny, volnay, romanée, clos-vougeot...) ou grand vin rouge de partout ailleurs (pommard, saint-émilion, pomerol, moulin-à-vent, crozes-hermitage, hermitage, médoc, fronsac, côte-rôtie, châteauneuf-du-pape, corbières, bourgueil, sancerre...).

MELON

Prendre un VDN (vin doux naturel).

MOULES

Un vin blanc pas trop sec (bergerac, anjou...).

OMELETTE

Vin rouge (chinon, hermitage...)

POISSONS FUMÉS

Des vins blancs secs et corsés (pouilly-fumé, riesling, côtes-du-rhône, savennières...).

POISSONS GRILLÉS

Des vins blancs secs, des rosés frais, des rouges légers (graves, bouzy...).

POISSONS EN SAUCE

Des vins blancs (alsace, bourgogne, chablis, rully, graves blancs, hermitage, muscadet, sancerre, mâcon, meursault, montagny, givry, savoie, arbois, montrachet, bourgogne aligoté, meursault...), mais aussi des rouges et des rosés légers (côtes-de-provence, graves, touraine…)

PORC

Qu'il soit présenté rôti ou en sauce, le porc « aime » les mêmes vins rouges que le bœuf : brouilly, bourgueil, côte-de-beaune, saint-émilion, châteauneuf-du-pape, cahors, champigny, bandol, saint-joseph… Si le porc a une garniture fruitée (pommes, pruneaux…), on peut l'accompagner d'un vin blanc moelleux : muscat, jurançon, gewürztraminer…

VEAU

Comme pour la volaille, des vins rouges pas trop corsés (brouilly, volnay, bourgueil, graves, hermitage, pomerol, côte-de-nuits, côtes-du-rhône), ou des rosés (tavel, chusclan, rosé du Languedoc-Roussillon) pour la blanquette.

VOLAILLES

Comme pour le veau, des vins rouges pas trop corsés pour les viandes blanches (poulet, lapin) : brouilly, volnay, bourgueil, graves, hermitage, pomerol, côte-de-nuits, côtes-du-rhône, rully, givry, montagny, mercurey, minervois, beaujolais, côte-de-beaune, bourgogne passe-tout-grain, bordeaux… ; pour les volailles à plume (canard, oie, dinde), des vins rouges : côte-de-beaune, saint-émilion, médoc, châteauneuf-du-pape, saint-joseph, cahors, côtes-du-rhône, entre-deux-mers, bourgueil, bergerac, sancerre, touraine, beaujolais-villages et crus du Beaujolais… ou des vins de pays de même origine que la volaille, poulet d'Anjou ou canard du Gers…

LES VIGNOBLES
DE FRANCE

ALSACE

SITUATION

Le vignoble alsacien, de *Strasbourg* à *Mulhouse*, couvre environ 13 500 ha, sur 120 communes ou villages. Le climat est semi-continental avec des étés et des automnes secs, ce qui permet des vendanges tardives. Les diverses variétés du sol autorisent l'emploi d'un grand nombre de cépages.

CÉPAGES

Riesling, gewürztraminer, muscat, pinot gris, sylvaner, pinot blanc, auxerrois et chasselas. Les assemblages de cépages sont nommés *edelzwicker*.

APPELLATIONS

– *AOC Alsace* : vins blancs, rouges ou rosés, l'appellation est suivie du nom de l'un de ses cépages si le vin provient à 100 % de ce cépage.

– *Alsace grand cru* : l'appellation de ces vins blancs est suivie de l'un des quatre cépages autorisés (riesling, gewürztraminer, muscat, pinot gris) et du nom du lieu-dit de l'un des 50 grands crus officiels [Altenberg de Bergbieten / Altenberg de Wolxheim / Bruderthal / Engelberg / Frankstein / Kastelberg / Kirchberg de Barr / Moenchberg / Muenchberg / Pralatenberg / Steinklotz / Wiebelsberg / Winzenberg / Zotzenberg

(*pour le Bas-Rhin*) ; Altenberg de Bergheim / Bennwihr
/ Brand / Eichberg / Florimont / Froehn / Furstentum /
Geisberg / Gloeckelberg / Golbert / Hatschbourg /
Hengst / Kanzlerberg / Kesser / Kirchberg de Ribeauvillé
/ Kitterle / Manbourg / Mandelberg / Ollwiller /
Osterberg / Pfersigberg / Pfingstberg / Rangen /
Rosacker / Saering / Schlossberg / Schoenenbourg /
Sigolsheim / Sommerberg / Sonnenglanz / Spiegel /
Sporen / Steingrubler / Steinert / Vorbourg / Wineck-
Sclossberg / Zinnkoepfié (*pour le Haut-Rhin*)].

– *AOC crémant d'Alsace* : vins blancs et rosés, mousseux obtenus par la méthode champenoise avec fermentation en bouteilles.

– *Vendanges tardives* ou *sélection de grains nobles* :
vins moelleux ou liquoreux, ils sont naturellement si
riches en sucre que la chaptalisation y est interdite.

ÉTIQUETTE

Elle mentionne la région d'origine (Alsace) et – mais
ce n'est pas obligatoire – le nom du cépage. La commune d'origine du vin n'est pas indiquée.

Si c'est un *grand cru*, le nom du lieu-dit de production est obligatoire.

Les noms et prénoms qui figurent sur l'étiquette
ne sont pas toujours ceux du propriétaire, ils peuvent
être des « pseudonymes » pris par les caves coopéra-
tives.

BORDEAUX

SITUATION

Le vignoble bordelais, principalement situé le long de la Gironde, de la Garonne et de la Dordogne, couvre environ 113 000 ha ; c'est le plus vaste domaine vinicole d'appellation d'origine contrôlée de France. Il comprend un très grand nombre de propriétés appelées châteaux mais qui, mis à part quelques authentiques châteaux d'époque, sont des maisons bourgeoises, voire d'anciennes demeures paysannes. Le climat très tempéré donne, quand les automnes sont bien ensoleillés, de grands millésimes. Pour les grands vins du Bordelais, le sol est essentiellement constitué de *graves* (graviers) provenant des alluvions des cours d'eau.

CÉPAGES

Le bordeaux provient d'un mélange de plusieurs cépages (cabernet sauvignon, merlot, malbec...). Les cépages autorisés sont les cabernet sauvignon, sauvignon, cabernet franc, sémillon, merlot, malbec, petit verdot (*en rouges*), muscadet, ugni blanc, colombard, merlot blanc (*en blancs*).

APPELLATIONS

Sept appellations régionales (génériques) :

– *Bordeaux* : appellation générique qui joue sur le prestige du nom, mais n'en a pas toujours la qualité ;

– *Bordeaux blanc sec* : *idem* bordeaux générique ;

– *Bordeaux rosé* ;

– *Bordeaux clairet* : rosé plus coloré que le bordeaux rosé, et peu connu ;

– *Bordeaux supérieur* : il rassemble, théoriquement, les meilleurs bordeaux rouges génériques ;

– *Bordeaux mousseux* ;

– *Bordeaux crémant* : vin blanc pétillant élaboré selon la méthode champenoise.

Cinq sous-régions ou appellations possèdent leurs vins classés :

– **Médoc** (*rouges*)

Premiers crus : Château-haut-brion, Château-lafite-rothschild, Château-latour, Château-margaux, Château-mouton-rothschild.

Deuxièmes crus : Château-brane-cantenac, Château-cos-d'estournel, Château-ducru-beaucaillou, Château-durfort-vivens, Château-gruau-larose, Château-lascombes, Château-léoville-barton, Château-léoville-las-cases, Château-léoville-poyferré, Château-montrose, Château-pichon-longueville comtesse-de-lalande, Château-rausan-ségla, Château-rauzan-gassies.

Troisièmes crus : Château-boyd-cantenac, Château-calon-ségur, Château-cantenac-brown, Château-desmirail, Château-ferrière, Château-giscours, Château-d'issan, Château-langoa-barton, Château-malescot-saint-exupéry, Château-marquis-d'alesme-Becker, Château-palmer.

Quatrièmes crus : Château-beychevelle, Château-branaire, Château-duhart-milon-rothschild, Château-lafon-rochet, Château-la-tour-carnet, Château-marquis-de-terme, Château-pouget, Château-prieuré-lichine, Château-saint-pierre, Château-talbot.

Cinquièmes crus : Château-d'armailhac, Château-batailley, Château-belgrave, Château-camensac, Château-cantemerle, Château-clerc-milon, Château-cos-labory, Château-croizet-bages, Château-dauzac, Château-grand-puy-ducasse, Château-grand-puy-lacoste, Château-haut-bages-libéral, Château-haut-batailley, Château-lynch-bages, Château-lynch-moussas, Château-pédesclaux, Château-pontet-canet, Château-du-tertre.

– Sauternes et barsac
Premier grand cru supérieur : Château-d'yquem.
Premiers crus : Château-climens, Château-clos-haut-peyraguey, Château-coutet, Château-guiraud, Château-lafaurie-peyraguey, Château-rabaud-promis, Château-rayne-vigneau, Château-rieussec, Château-sigalas-rabaud, Château-suduiraut, Château-la-tour-blanche.
Deuxièmes crus : Château-d'arche, Château-broustet, Château-caillou, Château-doisy-daëne, Château-doisy-dubroca, Château-doisy-védrines, Château-filhot, Château-lamothe (Guignard), Château-de-malle, Château-myrat, Château-nairac, Château-romer-du-Hayot.

– Saint-émilion
Le classement des saint-émilions a lieu tous les dix ans ; le dernier date de 1996.
Premiers grands crus classés A : Château-ausone, Château-cheval-blanc.
Premiers grands crus classés B : Château-l'angélus, Château-beau-séjour-bécot, Château-ausone, Château-beau-séjour (Duffau-Lagarosse), Château-belair, Château-canon, Château-figeac, Château-la-gaffelière, Château-magdelaine, Château-pavie, Château-trottevieille, Clos-fourtet.

Grands crus classés : Château-balestard-la-tonnelle, Château-bellevue, Château-bergat, Château-berliquet, Château-cadet-bon, Château-cadet-piola, Château-canon-la-gaffelière, Château-cap-de-mourlin, Château-chauvin, Château-corbin, Château-corbin-Michotte, Château-croque-michotte, Château-curé-bon, Château-dassault, Château-faurie-de-souchard, Château-fonplégade, Château-fonroque, Château-franc-mayne, Château-grand-mayne, Château-grand-pontet, Château-grandes-murailles, Château-guadet-saint-julien, Château-haut-corbin, Château-haut-sarpe, Château-l'arrosée, Château-la-clotte, Château-la-clusière, Château-la-couspaude, Château-la-dominique, Château-lamarzelle, Château-laniote, Château-larcis-ducasse, Château-larmande, Château-laroze, Château-la-serre, Château-la-tour-du-pin-figeac (Giraud-Belivier), Château-la-tour-du-pin-figeac (Moueix), Château-la-tour-figeac, Château-le-prieuré, Château-matras, Château-moulin-du-cadet, Château-pavie-decesse, Château-pavie-macquin, Château-petit-faurié-de-soutard, Château-ripeau, Château-saint-georges-côte-pavie, Château-souard, Château-tertre-daugay, Château-troplong-mondot, Château-villemaurine, Château-yvon-figeac, Clos-des-jacobins, Clos-de-l'oratoire, Clos-saint-martin, Couvent-des-jacobins.

– **Graves** (*rouges*)
Le classement des graves a eu lieu en 1959.
Premier cru : Château-haut-brion.
Crus classés : Château-haut-bailly, Château-la-mission-haut-brion, Château-latour-haut-brion, Château-carbonnieux, Domaine-de-chevalier, Château-malartic-lagravière, Château-olivier, Château-la-tour-martillac, Château-smith-haut-lafite, Château-bouscaut, Château-pape-clément, Château-fieuzal.

– Pomerol
Pas de classement officiel pour les pomerols. Il existe toutefois un classement officieux.
Premier cru : Château-pétrus.
Grands crus : Château-la-conseillante, Château-l'évangile, Château-la-fleur, Château-latour-pomerol, Château-petit-village, Château-trotanoy, Vieux-château-certan, Château-beauregard, Château-gazin, Château-nénin.

Pour plus de clarté dans la profusion de ses vins, on divise les appellations de bordeaux en appellations sous-régionales.

• **Médoc** et **graves**
– Haut-médoc (AOC rouge)
– Graves (AOC rouge et blanc)
– Médoc (AOC rouge)
– Pessac-léognan (AOC rouge et blanc)
– Graves supérieurs (AOC blanc moelleux)
– Cérons (AOC blanc)
– Margaux-barsac (AOC blanc)
– Saint-julien-sauternes (AOC blanc)
– Pauillac-1res-côtes-de-bordeaux (AOC blanc et rouge)
– Saint-Estèphe-cadillac (AOC blanc)
– Moulis-loupiac (AOC blanc)
– Listrac-sainte-croix-du-mont (AOC blanc)
– Côtes-de-bordeaux-saint-macaire (AOC blanc)

• **Entre-deux-mers**
– Entre-deux-mers (AOC blanc)
– Entre-deux-mers-haut-benage (AOC blanc)
– Saint-foy-bordeaux (AOC blanc et rouge)
– Graves-de-vayres (AOC rouge et blanc)

- **Libournais**
  – Saint-émilion (AOC rouge)
  – Saint-georges-saint-émilion (AOC rouge)
  – Parsac-saint-émilion (AOC rouge)
  – Montagne-saint-émilion (AOC rouge)
  – Puisseguin-saint-émilion (AOC rouge)
  – Pomerol (AOC rouge)
  – Lalande-de-pomerol (AOC rouge)
  – Canon-fronsac (AOC rouge)
  – Fronsac (AOC rouge)
  – Côtes-de-castillon (AOC rouge)
  – Bordeaux-côtes-de-francs (AOC rouge et blanc)
  – Lussac-saint-émilion (AOC rouge)

- **Bourgeais et blayais**
  – Côtes-de-bourg (AOC rouge et blanc)
  – Bourg ou bourgeais (AOC rouge et blanc)
  – Blaye ou blayais (AOC rouge et blanc)
  – Côtes-de-blaye (AOC blanc)
  – Premières-côtes-de-blaye (AOC rouge et blanc)

ÉTIQUETTE

Le vin porte le nom du château où il a été récolté, vinifié et mis en bouteilles. Ces mêmes châteaux peuvent vendre leur *second vin* sous un autre nom de château. S'il n'a pas toutes les qualités du premier vin, il a souvent de beaux restes, quand le millésime est bon.

Si le vin n'est pas mentionné « mis en bouteille au château », c'est qu'il peut s'agir d'un vin de négociant, de moindre qualité.

L'appellation *grand vin de Bordeaux*, qui n'est pas officiellement garantie, peut être galvaudée.

Cru classé, cru bourgeois : il s'agit de vins qui ont été officiellement classés, en 1855 – avec révision en 1973 – pour les premiers ; dans la première partie du

XXe siècle pour les seconds, qui n'avaient pas eu l'honneur de figurer sur la première liste. Ces classements ne tenant pas compte des millésimes, ils ne garantissent en rien la qualité du vin, même s'ils font référence à des terroirs prestigieux.

SITUATION

Le vignoble de Bourgogne, de Dijon à Villefranche-sur-Saône, et autour d'Auxerre pour le chablis, couvre environ 40 000 ha. La Bourgogne bénéficie d'un microclimat car elle est protégée de la pluie par un massif calcaire qui a fourni les pierres du sol, qui assurent un bon drainage. Le vignoble, en outre, se situe au-dessus des nappes de brouillard propres au bassin de la Saône, mais sans atteindre des altitudes de gel.

CÉPAGES

Le pinot et le chardonnay ont « fait » les plus grands bourgognes rouges et blancs. D'autres cépages ont néanmoins accès au domaine bourguignon : pinot, beurot, gamay, césar, tressot, pour les *rouges* ; chardonnay, aligoté, pinot blanc, sacy, sauvignon (chablis) pour les *blancs*.

APPELLATIONS

La Bourgogne possède sept sous-régions décomposées en :
– appellation communale ;
– appellation 1er cru ;
– appellation grand cru.

- **Côte-d'or**
  - Marsannay (AOC rouge et rosé) [*appellation communale*]

- **Chablis**
  - Chablis grand cru (AOC blanc) [*appellation communale*]
  - Chablis 1er cru (AOC blanc) [*appellation communale*]
  - Chablis (AOC blanc) [*appellation communale*]
  - Petit-chablis (AOC blanc) [*appellation communale*]
  - Blanchots / Bougros / Les Clos / Grenouille / Les Preuses / Valmur / Vaudésir (blancs) [*grands crus*]
  - Sauvignon de Saint-Bris (blanc) [*VDQS*]

- **Côte-de-nuits**
  - Fixin (AOC rouge, blanc) [*appellation communale*]
  - Gevrey-chambertin (AOC rouge) [*appellation communale*]
  - Chambertin (AOC rouge) [*grand cru*]
  - Chambertin-clos-de-bèze (AOC rouge) [*grand cru*]
  - Latricières-chambertin (AOC rouge) [*grand cru*]
  - Mazis-chambertin (AOC rouge) [*grand cru*]
  - Mazoyères-chambertin (AOC rouge) [*grand cru*]
  - Charmes-chambertin (AOC rouge) [*grand cru*]
  - Griotte-chambertin (AOC rouge) [*grand cru*]
  - Chapelle-chambertin (AOC rouge) [*grand cru*]
  - Ruchottes-chambertin (AOC rouge) [*grand cru*]
  - Morey-saint-denis (AOC rouge et blanc) [*appellation communale*]
  - Clos-des-lambrays (AOC rouge) [*grand cru*]
  - Clos-de-tart (AOC rouge) [*grand cru*]
  - Clos-de-la-roche (AOC rouge) [*grand cru*]
  - Clos-saint-denis (AOC rouge) [*grand cru*]
  - Bonnes-mares (AOC rouge) [*grand cru*]
  - Chambolle-musigny (AOC rouge et blanc) [*appellation communale*]

- Musigny (AOC rouge et blanc) [*grand cru*]
- Vougeot (AOC rouge et blanc) [*appellation communale*]
- Clos-de-vougeot (AOC rouge) [*grand cru*]
- Échézeaux (AOC rouge) [*grand cru*]
- Grands-échézeaux (AOC rouge) [*grand cru*]
- Vosne-romanée (AOC rouge) [*appellation communale*]
- Romanée-saint-vivant (AOC rouge) [*grand cru*]
- Richebourg (AOC rouge) [*grand cru*]
- La Romanée (AOC rouge) [*grand cru*]
- La Tâche (AOC rouge) [*grand cru*]
- Romanée-conti (AOC rouge) [*grand cru*]
- Nuits-saint-georges (AOC rouge) [*appellation communale*]
- Côte-de-nuits-villages [*appellation communale*]
- Hautes-côtes-de-nuits [*appellation communale*]

• **Côte-de-beaune**
- Ladoix (AOC rouge et blanc) [*appellation communale*]
- Aloxe-corton (AOC rouge et blanc) [*appellation communale*]
- Pernand-vergelesses (AOC rouge et blanc) [*appellation communale*]
- Corton (AOC rouge et blanc) [*grand cru*]
- Corton-charlemagne (AOC blanc) [*grand cru*]
- Savigny (AOC rouge et blanc) [*appellation communale*]
- Chorey-les-beaune (AOC rouge et blanc) [*appellation communale*]
- Beaune (AOC rouge et blanc) [*appellation communale*]
- Pommard (AOC rouge) [*appellation communale*]
- Volnay (AOC rouge) [*appellation communale*]
- Volnay-santenots (AOC rouge) [*appellation communale*]

- Monthélie (AOC blanc et rouge) [*appellation communale*]
- Auxey-duresses (AOC blanc et rouge) [*appellation communale*]
- Saint-romain (AOC rouge et blanc) [*appellation communale*]
- Meursault (AOC rouge et blanc) [*appellation communale*]
- Blagny (AOC rouge) [*appellation communale*]
- Puligny-montrachet (AOC rouge et blanc) [*appellation communale*]
- Montrachet (AOC blanc) [*grand cru*]
- Chevalier-montrachet [*grand cru*]
- Bâtard-montrachet [*grand cru*]
- Bienvenue-bâtard-montrachet [*grand cru*]
- Criots-bâtard-montrachet [*grand cru*]
- Chassagne-montrachet (AOC rouge et blanc) [*appellation communale*]
- La grande-rue (AOC rouge et blanc) [*appellation communale*]
- Santenay (AOC rouge et blanc) [*appellation communale*]
- Saint-aubin (AOC rouge et blanc) [*appellation communale*]
- Maranges (AOC rouge et blanc) [*appellation communale*]
- Côte-de-beaune-villages (AOC rouge) [*appellation communale*]
- Hautes-côtes-de-beaune (AOC rouge, rosé et blanc) [*appellation communale*]

- **Côte-châlonnaise**
- Rully (AOC rouge et blanc) [*appellation communale*]
- Mercurey (AOC rouge et blanc) [*appellation communale*]

– Givry (AOC rouge et blanc) [*appellation communale*]
– Montagny (AOC blanc) [*appellation communale*]

• **Mâconnais**
– Mâcon (AOC rouge, rosé et blanc)
– Pouilly-fuissé (AOC blanc) [*appellation communale*]
– Pouilly-loché (AOC blanc) [*appellation communale*]
– Pouilly-vinzelles (AOC blanc) [*appellation communale*]
– Saint-véran (AOC blanc) [*appellation communale*]

• **Beaujolais**
Pour les beaujolais, il n'y a pas de *1ᵉʳ cru* ou *grand cru* mais l'appellation de *cru* pour dix communes :
Moulin-à-vent / Fleurie / Chénas / Régnié / Juliénas / Saint-amour / Chiroubles / Morgon / Brouilly / Côte-de-brouilly
– Beaujolais (AOC rouge, rosé et blanc)
– Beaujolais supérieur (AOC rouge, rosé et blanc)
– Beaujolais-villages (AOC rouge, rosé et blanc)
– Moulin-à-vent (AOC rouge)
– Fleurie (AOC rouge)
– Chenas (AOC rouge)
– Régnié (AOC rouge)
– Juliénas (AOC rouge)
– Saint-amour (AOC rouge)
– Chiroubles (AOC rouge)
– Morgon (AOC rouge)
– Brouilly (AOC rouge)
– Côte-de-brouilly (AOC rouge)
– Coteaux-du-lyonnais (AOC rouge, rosé et blanc)

ÉTIQUETTE

Les noms des vins de Bourgogne correspondent au nom du terroir, qu'il s'agisse d'une commune ou d'un clos. Le nom de l'appellation doit être écrit en plus gros caractères que celui du producteur.

Le nom de l'AOC est en haut de l'étiquette, au-dessus du nom du cru. Si la hauteur des lettres du cru est aussi grande que les lettres de l'AOC, il s'agit d'un premier cru. Pour les AOC non classés, la hauteur des lettres du cru ne doit pas dépasser la moitié de la hauteur des lettres de l'AOC.

Pour les *premiers crus*, on a l'appellation communale avec mention d'un cru, pour les *grands crus*, on a le seul nom du cru, l'appellation communale ayant disparu.

Si le vin a été mis en bouteilles dans l'exploitation viticole qui l'a produit, la mention « mis en bouteille au domaine », ou « mis en bouteille à la propriété » figure sur son étiquette. Les autres mentions ne garantissent pas l'origine, mais un bourgogne mis en bouteilles ailleurs que dans sa cave originelle n'en perdra pas pour autant ses saveurs et sa qualité.

SITUATION

Le vignoble champenois, qui s'étend sur des coteaux de 200 km de long, couvre environ 28 000 ha, répartis sur les départements de l'Aube, de la Marne et de la Haute-Marne. La Champagne a un climat continental, chaud en été (avec de la grêle) et froid en hiver (avec des gelées), ce qui compromet parfois les récoltes. Géologiquement, la région champenoise est une ancienne mer, avec de profondes couches de craie qui permettent un très bon drainage des racines de vignes.

CÉPAGES

Les cépages utilisés pour l'appellation champagne sont le chardonnay (utilisé seul dans les *blancs de blancs*, il apporte de la fraîcheur dans les assemblages), le pinot noir (utilisé seul ou avec le pinot meunier dans les *blancs de noirs*, il donne des vins plus corsés dans les assemblages) et le pinot meunier (utilisé seul ou avec le pinot noir dans les *blancs de noirs*, il donne des vins plus fruités dans les assemblages).

APPELLATIONS

On distingue trois AOC dans les villages de Champagne, qui se répartissent principalement sur six terroirs, ou zones de production (Aisne, petite vallée de la Marne, grande vallée de la Marne, Montagne de Reims, côte des Blancs, Aube) :

- Champagne (AOC blanc et rosé) ;
- Coteaux champenois (AOC blanc, rouge et rosé) ;
- Rosé des Riceys (AOC rosé).

ÉTIQUETTE

La mention AOC n'est pas obligatoire pour les champagnes.

Voici comment interpréter les appellations :

- *Blanc de blancs* : champagne exclusivement produit par des raisins blancs (cépage chardonnay).
- *Blanc de noirs* : champagne exclusivement produit par des raisins noirs (cépages pinot noir ou pinot meunier, ou les deux).
- *Cuvées spéciales* : ne correspond à aucune appellation officielle qui en garantisse la qualité. Les producteurs sont censés y proposer leurs meilleurs assemblages.
- *Grand cru*, *premier cru* : les premiers sont issus de vignobles classés à 100 % dans l'échelle des crus, les seconds sont classés de 90 à 99 % ; cette classification, adoptée par les récoltants-manipulants (elle détermine le prix de vente du raisin), est contestée par les négociants, qui assemblent des champagnes certes moins « nobles », mais aussi moins chers.
- *Millésimés* : le champagne est élaboré avec des raisins cueillis la même année mais commercialisés trois ans après ces vendanges. Seules les meilleures années, météo oblige, sont millésimées.
- *Non millésimés* : cela signifie que, la récolte n'ayant pas été digne d'un bon millésime, on a ajouté les vins de la réserve (venant des

meilleures récoltes des années précédentes) au raisin de l'année. Mais cela n'induit pas que le champagne non millésimé soit moins bon ; il est, comme le millésimé, le résultat d'un assemblage où se manifeste le savoir-faire du vigneron.

Lors du *dégorgement*, opération consistant à évacuer le dépôt sur le bouchon sans perdre la mousse, on remplace le vin échappé avec du vin de la même cuvée et une liqueur, mélange de vieux champagne et de sucre de canne. Selon le pourcentage de liqueur, le champagne sera :
– *Brut* : 1 % de liqueur (*Brut zéro*, *Brut intégral*, *Ultrabrut*, *Brut total* : pas de liqueur pour cacher les défauts, ce sont des vins « parfaits »).
– *Extra-sec* : 2 % à 3 %.
– *Sec* : 3 % à 5 %.
– *Demi-sec* : 6 % à 8 %.
– *Doux* : 8 % à 15 %. Plus le pourcentage est élevé, mieux la liqueur peut masquer les imperfections du vin...

Pour avoir un autre aperçu de la qualité d'une bouteille, il faut déchiffrer le sigle de deux lettres – obligatoire – situé en bas de l'étiquette :
– *C. M.* : voir ci-dessous *M. C.*
– *M. A.* : Marque d'acheteur. Il s'agit d'une marque secondaire d'un négociant commercialisant les vins élaborés à façon par un manipulant extérieur (négociant, récoltant ou coopérative). Dans ce cas, la marque n'appartient pas au professionnel qui a élaboré le champagne.
– *M. C.* : coopérative de manipulation. Les vignerons apportent leurs raisins à la coopérative qui assure la vinification. La coopérative de manipulation élabore dans ses locaux et commercialise sous sa propre marque les vins de ses adhérents.

– *N. D.* : négociant-distributeur. Il a acheté des vins en bouteilles terminées, mais non habillées, sur lesquelles il a apposé sa propre étiquette.

– *N. M.* : négociant-manipulant. Le négociant, personne physique ou morale, a acheté le raisin, l'a manipulé, assemblé et commercialisé dans ses locaux. C'est un signe de qualité.

– *R. C.* : récoltant-coopérateur. Il a livré sa récolte à une coopérative mais la commercialise sous sa responsabilité.

– *R. M.* : récoltant-manipulant. Le vigneron a assuré lui-même la champagnisation du vin issu de ses récoltes. Les champagnes de *cru* portent ce sigle.

– *S. R.* : société de récoltants. Ses membres appartiennent à la même famille.

CÔTES
DU
RHÔNE

SITUATION

Les côtes du Rhône et leurs 63 400 ha s'étendent sur 200 km du sud de Lyon au nord d'Aix-en-Provence, avec une coupure de 50 km entre Valence et Bollène. Elles se répartissent de part et d'autre du Rhône sur cinq départements (Loire, Rhône, Ardèche, Drôme, Gard). Au nord, le sol est granitique, avec des journées chaudes et sèches en été et en automne, mais des nuits humides en raison de la proximité du fleuve. Au sud, le sol est très caillouteux, ce qui permet un bon drainage des vignobles et un mûrissement optimal du raisin, les galets renvoyant la chaleur.

CÉPAGES

Dans la partie nord des côtes du Rhône sont tolérés : la syrah (rouge) et le viognier (blanc). Dans la partie sud, treize cépages sont admis : grenache, mourvèdre, syrah, cinsault, terret noir, counoise, vaccarèse, muscardin, clairette, picpoul, roussane, bourboulenc, picardan. Mais la plupart du temps le côtes-du-rhône provient du mélange des huit premiers.

APPELLATIONS

- Côte-roannaise (VDQS rouge et rosé)
- Côtes-du-forez (VDQS rouge et rosé)

• **Côtes du Rhône septentrionales**
- Côte-rôtie (AOC rouge)
- Condrieu (AOC blanc)
- Château-grillet (AOC blanc)
- Hermitage (AOC rouge et blanc)
- Crozes-hermitage (AOC rouge et blanc)
- Saint-joseph (AOC rouge et blanc)
- Cornas (AOC rouge)
- Saint-péray (AOC blanc, tranquille et mousseux)
- Châtillon-en-diois (AOC rouge, blanc et rosé)
- Clairette de Die (AOC blanc, mousseux et tranquille)

• **Côtes du Rhône méridionales**
- Châteauneuf-du-pape (AOC rouge et blanc)
- Gigondas (AOC rouge)
- Vacqueyras (AOC rouge, rosé et blanc)
- Tavel (AOC rosé)
- Lirac (AOC rouge, rosé et blanc)
- Coteaux-du-tricastin (AOC rouge, rosé et blanc)
- Côtes-du-ventoux (AOC rouge, rosé et blanc)
- Côtes-du-rhône (AOC rouge, rosé et blanc)
- Côtes-du-rhône-villages (AOC rouge, rosé et blanc)
- Côtes-du-rhône-cairanne (AOC rouge, rosé et blanc)
- Côtes-du-rhône-sablet (AOC rouge, rosé et blanc)
- Côtes-du-rhône-rasteau (AOC rouge, rosé et blanc)
- Côtes-du-rhône-valréas (AOC rouge, rosé et blanc)
- Côtes-du-rhône-visan (AOC rouge, rosé et blanc)
- Côtes-du-rhône-roaix (AOC rouge, rosé et blanc)

- Côtes-du-rhône-séguret (AOC rouge, rosé et blanc)
- Côtes-du-rhône-chusclan (AOC rouge et rosé)
- Côtes-du-rhône-laudun (AOC rouge, rosé et blanc)
- Côtes-du-rhône-beaumes-de-venise (AOC rouge, rosé et blanc)
- Côtes-du-rhône-saint-gervais (AOC rouge, rosé et blanc)
- Côtes-du-rhône-vinsobres (AOC rouge, rosé et blanc)
- Côtes-du-rhône-rochegude (AOC rouge, rosé et blanc)
- Côtes-du-rhône-saint-maurice-sur-eygues (AOC rouge, rosé et blanc)
- Côtes-du-rhône-saint-pantaléon-les-vignes (AOC rouge, rosé et blanc)
- Côtes-du-rhône-rousset-les-vignes (AOC rouge, rosé et blanc)
- Côtes-du-vivarais (VDQS)
- Côtes-du-vivarais-orgnac (VDQS)
- Côtes-du-vivarais-saint-montant (VDQS)
- Côtes-du-vivarais-saint-remèze (VDQS)
- Haut-comtat (VDQS)

ÉTIQUETTE

Elle mentionne l'AOC du vin ainsi que le nom du domaine ou du propriétaire, pour les grands vins.

La mention *grand cru* n'existe pas pour les appellations de la vallée du Rhône.

JURA

SITUATION

Le vignoble du Jura s'étend sur 80 km de long pour 10 km de large, sur une superficie de 20 000 ha. Le climat rigoureux est compensé par un grand ensoleillement. Les vins rouges sont cultivés sur sol argileux, les vins blancs sur sol calcaire.

CÉPAGES

Pour les vins rouges et rosés, les cépages les plus répandus sont les ploussard, trousseau et pinot noir ; pour les vins blancs, le chardonnay et le savagnin. Pour le vin jaune, le savagnin est le seul cépage autorisé.

APPELLATIONS
- Côtes-du-jura (AOC rouge, blanc, rosé, mousseux, jaune et vin de paille)
- Arbois (AOC rouge, blanc, rosé, mousseux, jaune et vin de paille)
- Arbois-pupillin (AOC rouge, blanc, rosé, mousseux, jaune et vin de paille)
- L'Étoile (AOC blanc, mousseux, jaune et vin de paille)
- Château-chalon (AOC jaune)

Vin jaune : particularité du Jura, le vin jaune est un produit rare. C'est un vin blanc de couleur ambrée. Au début de sa deuxième année, on le met dans un tonneau pour le laisser vieillir sans y toucher jusqu'à sa sixième année. C'est le seul vin blanc qui ne doit pas être servi frais. Il est conditionné en bouteilles de 63 cl. On prétend qu'il peut se conserver plus d'un siècle même si la bouteille est entamée.

Vin de paille : comme le vin jaune, c'est une particularité du Jura. Dans ce vin doux naturel, le raisin continue à prendre son sucre alors que ses grappes ont été disposées sur de la paille. Après trois mois, il est pressé et mis en fermentation. Vieilli en fûts, il est conditionné dans des demi-bouteilles. C'est lui aussi un vin très rare car d'une production limitée.

LANGUEDOC-ROUSSILLON

SITUATION

Le vignoble du Languedoc-Roussillon s'étend du delta du Rhône aux frontières espagnoles sur 250 000 ha ; c'est l'un des plus vastes vignobles du monde (vin de table). Le sol y est très divers, mais les meilleurs vins sont obtenus sur des sols caillouteux. Le climat, dans cette région qui est la plus chaude de France, est méditerranéen ; les vents venus de terre renforcent le phénomène de sécheresse, tandis que les vents venant de la mer, plus humides, sont préférables pour la vigne.

CÉPAGES

Pour élaborer des vins complets, les cépages sont fréquemment mélangés dans cette région au long passé viticole. Parmi les principaux cépages pour vins rouges, les carignan, gamay, grenache, syrah, mourvèdre, picpoul noir, muscat à petits grains, muscat d'Alexandrie, tourbat…

Parmi les principaux cépages pour vins blancs, les ugni blanc, grenache blanc, bourboulenc, clairette, macabeu, marsanne…

APPELLATIONS

- Fitou (AOC rouge)
- Blanquette de Limoux (AOC blanc et mousseux)
- Crémant de Limoux (AOC mousseux)
- Clairette de Bellegarde (AOC blanc)
- Clairette du Languedoc (AOC blanc)
- Collioure (AOC rouge)
- Côtes-du-roussillon (AOC rouge, rosé et blanc)
- Côtes-du-roussillon-villages (AOC rouge)
- Côtes-du-roussillon-villages-caramany (AOC rouge)
- Côtes-du-roussillon-villages-latour-de-france (AOC rouge)
- Minervois (AOC rouge, rosé et blanc)
- Saint-chinian (AOC rouge et rosé)
- Faugères (AOC rouge)
- Corbières (AOC rouge, rosé et blanc)
- Costières-de-nîmes (AOC rouge, rosé et blanc)
- Coteaux-du-languedoc (AOC rouge et rosé). Pour les AOC coteaux-du-languedoc, les vignerons ont le droit d'ajouter à l'AOC onze dénominations en *rouge* (La Clape / Quatourze / Cabrières / Montpeyroux / Saint-saturnin / Pic-saint-loup / Saint-georges-d'orques / Méjanelle / Saint-drézéry / Saint-christol / Vérargues) et deux en *rosé* (La Clape / Picpoul-de-pinet)
- Côtes-de-la-malepère (VDQS)
- Cabardès (VDQS)
- Banyuls (AOC – VDN)
- Banyuls-rancio (AOC – VDN)
- Banyuls-grand cru-rancio (AOC – VDN)
- Frontignan (AOC – VDN)
- Grand-roussillon (AOC – VDN)
- Grand-roussillon-rancio (AOC – VDN)
- Maury (AOC – VDN)
- Maury-rancio (AOC – VDN)
- Muscat de Frontignan (AOC – VDN)

– Muscat de Lunel (AOC – VDN)
– Muscat de Mireval (AOC – VDN)
– Muscat de Rivesaltes (AOC – VDN)
– Muscat de Saint-Jean-de-Minervois (AOC – VDN)
– Rivesaltes (AOC – VDN)
– Rivesaltes-rancio (AOC – VDN)
– Vin de Frontignan (AOC – VDN)

ÉTIQUETTE

Vintage, *rimage* ou *rimatge* : cette précision concerne les vins doux naturels, et signifie que le vin a vieilli en bouteilles.

**VAL
DE
LOIRE**

SITUATION

Le vignoble du Val de Loire s'étend de part et d'autre du fleuve, de l'océan jusqu'aux contreforts du Massif central qui, de son autre versant, donne sur la vallée du Rhône. Le Val de Loire est réputé pour son climat doux. Les terroirs sont protégés des vents maritimes par leur exposition sur les flancs orientaux des reliefs. Le sol a des compositions géologiques extrêmement variées.

CÉPAGES

Un grand nombre de cépages constituent ce vaste terroir. Les cépages originaires du Val de Loire sont rares : chenin noir et blanc, sauvignon... Ces cépages sont dominants en Touraine, et le sauvignon est le seul cépage autorisé pour les blancs des Hauts de Loire. Certains cépages sont originaires de Bourgogne (pinot noir, gris meunier et chardonnay), d'autres cépages ont été introduits plus tardivement (grolleau, gamay). Parmi les cépages *rouges*, on remarque les cabernet franc, cabernet sauvignon, gamay, pinot noir, côt, grolleau, meunier, pinot d'Aunis... Parmi les cépages *blancs*, on remarque les melon, chardonnay, chenin, sauvignon, arbois...

APPELLATIONS

On distingue pour le Val de Loire cinq sous-régions : *Auvergne*, *Hauts de Loire*, *Pays nantais*, *Touraine*, *Anjou*, celle-ci sous-divisée en deux, les *anjous* et les *saumurs*.

- **Auvergne - Massif central**
- – Saint-pourcain (VDQS rouge et rosé)
- – Côtes-d'auvergne (VDQS rouge et rosé)

- **Hauts de Loire**
- – Pouilly-fumé (AOC blanc)
- – Pouilly-sur-loire (AOC blanc)
- – Sancerre (AOC rouge, rosé et blanc)
- – Quincy (AOC blanc)
- – Reuilly (AOC blanc, rouge et rosé)
- – Ménetou-salon (AOC rouge, blanc et rosé)

- – Côtes-de-gien (VDQS rouge et blanc)
- – Côtes-de-gien-cosne-sur-loire (VDQS rouge et blanc)
- – Châteaumeillant (VDQS rouge et rosé, vin gris)

- **Touraine**
- – Touraine (AOC blanc, rouge et rosé)
- – Touraine mousseux (AOC rouge, blanc, rosé et mousseux)
- – Touraine pétillant (AOC rouge, blanc et rosé)
- – Touraine-amboise (AOC blanc, rouge et rosé)
- – Touraine-azay-le-rideau (AOC blanc et rosé)
- – Touraine-mesland (AOC rouge, rosé et blanc)
- – Vouvray (AOC blanc, tranquille, pétillant et mousseux)

- Montlouis (AOC blanc, tranquille, pétillant et mousseux)
- Bourgueil (AOC rouge et rosé)
- Saint-nicolas-de-bourgueil (AOC rouge et rosé)
- Chinon (AOC blanc, rouge et rosé)
- Coteaux-du-loir (AOC blanc, rouge et rosé)
- Crémant de Loire (AOC blanc)
- Jasnières (AOC blanc)
- Cheverny (AOC blanc, rouge et rosé)
- Cour-cheverny (AOC blanc)
- Cheverny (VDQS blanc, rouge et rosé)
- Coteaux-du-vendômois (VDQS blanc, rouge et rosé)
- Valençay (VDQS blanc, rouge et rosé)
- Vins de l'Orléanais (VDQS blanc, rouge et rosé)

• **Anjou**
Saumur
- Saumur (AOC blanc, rouge, mousseux et pétillant)
- Coteaux-de-saumur (AOC blanc)
- Saumur-champigny (AOC rouge)
- Cabernet de Saumur (AOC rosé)

Anjou
- Anjou (AOC blanc, rouge, mousseux et pétillant)
- Anjou Gamay (AOC rouge)
- Rosé d'Anjou (AOC rosé et pétillant rosé)
- Rosé de Loire (AOC rosé)
- Cabernet d'Anjou (AOC rosé)
- Anjou-villages (AOC rouge)
- Coteaux-du-layon (AOC blanc)
- Coteaux-du-layon-faye (AOC blanc)
- Coteaux-du-layon-rablay (AOC blanc)
- Coteaux-du-layon-beaulieu (AOC blanc)
- Coteaux-du-layon-saint-lambert-du-Lattay (AOC blanc)

– Coteaux-du-layon-rochefort-sur-loire (AOC blanc)
– Coteaux-du-layon-saint-aubin-de-luigné (AOC blanc)
– Coteaux-du-layon-chaume (AOC blanc)
– Bonnezeaux (AOC blanc)
– Quarts-de-chaume (AOC blanc)
– Coteaux-de-l'aubance (AOC blanc)
– Anjou-côteaux-de-la-loire (AOC blanc)
– Savennières (AOC blanc)
– Savennières-coulée-de-serrant (AOC blanc)
– Savennières-roche-aux-moines (AOC blanc)

• **Pays nantais**
– Muscadet (AOC blanc)
– Muscadet des Coteaux-de-la-loire (AOC blanc)
– Muscadet de Sèvre-et-Maine (AOC blanc)
– Gros-plant (VDQS)
– Coteaux-d'ancenis (suivi du cépage : pineau de la Loire / chemin blanc / malvoisie / pinot-beurot / gamay / cabernet) (VDQS)

ÉTIQUETTE

Chaque vin correspond à un terroir délimité géographiquement. Les cépages figurent souvent sur l'étiquette avec l'appellation, ce qui peut induire en erreur le consommateur non éclairé, les saveurs données par le cépage variant selon les terroirs.

PROVENCE ET CORSE

SITUATION

Provence : l'appellation s'étend sur 5 000 ha du sud des côtes du Rhône jusqu'à la mer Méditerranée, dans un triangle compris entre Aix-en-Provence, Marseille et Nice. Le climat est très chaud, ensoleillé, le sol caillouteux. La plupart des terroirs AOC se situent dans des zones protégées des vents du nord (froids) et bénéficient de l'influence adoucissante de la mer.

Corse : Les vignes s'étendent essentiellement le long des côtes de l'île, où la sécheresse du climat méditerranéen est tempérée par la mer très proche.

CÉPAGES

Pour la Provence, les cépages les plus fréquents sont les gamay, grenache, cabernet sauvignon, syrah, braquet, calitor, fuella nera, mourvèdre, tibouren (*rouges*) ; chardonnay, ugni blanc, sémillon, chairette, vermentino (*blancs*).

Pour la Corse, le terroir comprend plus de quarante cépages différents (niellucio, sciaccarello, vermentino…).

APPELLATIONS

- **Provence**
- Côtes-de-provence (AOC rouge, rosé et blanc)
- Palette (AOC rouge, rosé et blanc)
- Cassis (AOC rouge, rosé et blanc)
- Bandol (AOC rouge, rosé et blanc)
- Bellet (AOC rouge, rosé et blanc)
- Coteaux-d'aix-en-provence (AOC rouge, rosé et blanc)
- Coteaux-d'aix-en-provence-Les Baux (AOC rouge, rosé et blanc)
- Côtes-du-lubéron (AOC rouge, rosé et blanc)
- Coteaux-varois (AOC rouge, rosé et blanc)
- Coteaux-varois (VDQS rouge, rosé et blanc)
- Coteaux-de-pierrevert (VDQS rouge, rosé et blanc)

- **Corse**
- Patrimonio (AOC rouge, rosé et blanc)
- Ajaccio (AOC rouge, rosé et blanc)
- Vin de Corse-sartène (AOC rouge, rosé et blanc)
- Vin de Corse-calvi (AOC rouge, rosé et blanc)
- Vin de Corse-figari (AOC rouge, rosé et blanc)
- Vin de Corse-porto-vecchio (AOC rouge, rosé et blanc)
- Vin de Corse-coteaux-du-cap-corse (AOC rouge, rosé et blanc)
- Vin de Corse (AOC rouge, rosé et blanc)

ÉTIQUETTE

Elle mentionne l'AOC du vin ainsi que le nom du domaine ou du propriétaire.

SAVOIE

SITUATION

Le terroir savoyard s'étend des bords du lac Léman jusqu'au nord de l'Isère sur 1 500 ha. Il se situe essentiellement le long des lacs du Bourget et du Léman ainsi que le long du Rhône et de l'Isère. Le climat est continental (avec un bel ensoleillement en été et en automne), tempéré par les lacs et les rivières.

CÉPAGES

Le cépage principal blanc des vins de Savoie est la jacquère. Les vins blancs représentent 70 % de la production totale. Le cépage principal rouge est la mondeuse. On trouve également d'autres cépages : roussanne, roussette, gamay, chasselas, altesse…

APPELLATIONS

On distingue cinq appellations (réparties en 22 crus) :
– Vin de Savoie (AOC rouge, blanc, rosé, pétillant et mousseux) suivi d'un nom de cru (17), parmi lesquels   Apremont / Abymes / Arbin / Chignin / Chignin-bergeron / Cruet / Ripaille / Chautagne / Marignan…
– Vin de Savoie-ayze (AOC blanc, pétillant et mousseux)

- Roussette-de-savoie (AOC blanc) suivi d'un nom de commune (Frangy, Marestel, Monterminod, Monthoux)
- Crépy (AOC blanc)
- Seyssel (AOC blanc et mousseux)

- Mousseux du Bugey (VDQS)
- Roussette du Bugey (VDQS) suivi d'un nom de cru (6)
- Vin du Bugey (VDQS) suivi d'un nom de cru (5)
- Vin du Bugey-cerdon (VDQS pétillant et mousseux)
- Mousseux du Bugey (VDQS pétillant et mousseux)

ÉTIQUETTE

L'appellation *vin de Savoie* est dominante, mais suivie, ou précédée, du nom du domaine, du lieu-dit (cru) ou du cépage : il n'y a pas de réglementation précise ni même d'usage bien établi quant à la présentation de l'étiquette.

SUD-OUEST

SITUATION

Les vignobles du Sud-Ouest se situent au sud et à l'est du Bordelais, s'étendant le long de la Dordogne jusqu'à Bergerac, le long de la Garonne et de ses affluents jusqu'à Toulouse, et au pied des Pyrénées. Bien que regroupés sous la même région vinicole, ces vignobles appartiennent à un terroir si morcelé qu'il n'est pas possible d'y trouver une certaine homogénéité du sol.

CÉPAGES

Les cépages du Sud-Ouest sont souvent de très vieux cépages, surtout dans la partie pyrénéenne : manseng, tannat, baroque, arrufiat, mauzac, duras, auxerrois, négrette... Pour les *rouges*, on a les cabernet franc, cabernet sauvignon, gamay, merlot, côt, courbu noir, duras, fer servandou, jurançon, manseng noir, mérille, négrette, tannat, mauzac, muscatelle... Pour les *blancs*, on a les chenin, sauvignon, ugni blanc, sémillon, baco, baroque, courbu, gros manseng, manseng, colombard, folle blanche, jurançon blanc, len de l'El...

APPELLATIONS

Le terroir du Sud-Ouest se divise en 4 sous-régions : la bordure aquitaine, le Bergeracois, le Haut Pays, les Pyrénées.

- **Bordure aquitaine**
- Buzet (AOC rouge, blanc et rosé)
- Côtes-du-marmandais (AOC rouge, blanc et rosé)
- Côtes-du-frontonnais (AOC rouge et rosé)

- **Bergeracois (Dordogne)**
- Monbazillac (AOC blanc)
- Rosette (AOC rouge, blanc et rosé)
- Bergerac (AOC rouge, blanc et rosé)
- Bergerac sec (AOC blanc)
- Côtes-de-bergerac (AOC rouge et blanc)
- Saussignac (AOC blanc)
- Pécharmant (AOC rouge)
- Montravel (AOC blanc)
- Haut-montravel (AOC blanc)
- Côtes-de-duras (AOC rouge et blanc)

- **Haut Pays**
- Marcillac (AOC rouge et rosé)
- Cahors (AOC rouge)
- Gaillac (AOC rouge, rosé, blanc et mousseux)
- Côtes-du-brulhois (VDQS rouge et rosé)
- Vin d'Estaing (VDQS rouge et blanc)
- Vin d'Entraygues et du Fel (VDQS rouge, blanc et rosé)
- Vin de la Villedieu (VDQS rouge et rosé)

- **Pyrénées**
- Madiran (AOC rouge)
- Pacherenc-du-vic-bilh (AOC blanc)
- Jurançon (AOC blanc)
- Jurançon sec (AOC blanc)
- Irouleguy (AOC rouge, rosé et blanc)
- Béarn (AOC rouge, rosé et blanc)
- Côtes-de-saint-mont (VDQS rouge, blanc et rosé)
- Tursan (VDQS rouge et rosé)
- Armagnac (eau-de-vie AOC)
- Bas-armagnac (eau-de-vie AOC)
- Haut-armagnac (eau-de-vie AOC)
- Ténarèze (eau-de-vie AOC)
- Floc-de-gascogne (vin de liqueur)

ÉTIQUETTE

Pour l'armagnac (distillation de onze cépages blancs, et vieillissement en fûts de chêne de deux à vingt ans), l'étiquette comporte l'une des mentions suivantes :

– *Trois étoiles (***)* : l'armagnac (dont le millésime représente l'année de récolte du raisin) est composé d'eaux-de-vie dont la plus jeune a deux ans minimum ;

– *VSOP* : eaux-de-vie dont la plus jeune a cinq ans minimum ;

– *Napoléon, XO, hors d'âge…* : eaux-de-vie dont la plus jeune a six ans minimum.

COGNAC

SITUATION

Les terroirs de Cognac (90 000 ha) sont situés sur la partie ouest de la Charente et de la Charente-Maritime. Ces terroirs, par ordre de qualité décroissante, sont la Grande Champagne, la Petite Champagne, les Borderies, les Fins Bois, les Bons Bois, les Bois ordinaires.

CÉPAGES

Le principal cépage est l'ugni blanc ; le colombard et la folle blanche ne sont plus guère employés.

APPELLATIONS

- Grande champagne (eau-de-vie AOC)
- Petite champagne (eau-de-vie AOC)
- Petite fine champagne (eau-de-vie AOC)
- Fine champagne (eau-de-vie AOC)
- Borderies (eau-de-vie AOC)
- Fins bois (eau-de-vie AOC)
- Bons bois (eau-de-vie AOC)
- Cognac (eau-de-vie AOC)
- Esprit de Cognac (eau-de-vie AOC)
- Eau-de-vie de Cognac (eau-de-vie AOC)
- Eau-de-vie des Charentes (eau-de-vie AOC)

- Pineau des Charentes (vin de liqueur)

ÉTIQUETTE

Pour le cognac (vieilli dans des fûts de bois de chêne de Tronçais ou du Limousin), l'étiquette indique l'âge de la plus jeune eau-de-vie de l'assemblage ; en outre, elle comporte l'une des mentions suivantes :

– *Trois étoiles (***)* ou *VS* : l'eau-de-vie a moins de quatre ans et demi ;

– *VSOP*, *VO* ou *Réserve* : eau-de-vie de quatre ans et demi à six ans et demi ;

– *Napoléon, Vieille Réserve, XO, hors d'âge...* : eau-de-vie de plus de six ans et demi.

CAVE ET
CONSERVATION
DU VIN

AMÉNAGEMENT DE LA CAVE

AÉRATION

La cave doit être aérée, bien ventilée, sans odeurs, si possible ouverte au nord.

LUMIÈRE

La cave doit être *close* et obscure. La lumière est dangereuse pour le vin, surtout pour les champagnes et vins blancs mis en bouteilles blanches ou claires. Le vin prend alors un « goût de lumière » entre odeur de rance et d'œuf pourri.

LIVRE DE CAVE

Si l'on veut gérer sa cave et surveiller le bon vieillissement de ses vins, il convient de tenir un livre de cave où tous les vins sont répertoriés : nom du vin, son cru, son identification précise, sa date d'achat, son prix, et surtout sa date probable de consommation.

ODEURS

Ne pas entreposer, près des bouteilles, des oignons ou des pommes de terre, des légumes, des fruits susceptibles de fermenter, ou du fuel et de la peinture ! Les odeurs traversent les bouchons et peuvent se propager au vin. Avant d'y entreposer votre vin, faire brûler du soufre dans la cave, à raison de 40 g par m³.

RANGEMENT DES BOUTEILLES

Ne pas laisser les bouteilles dans des cartons qui s'imprègnent de l'humidité ambiante, la fixent dans la cave et contribuent à entretenir des odeurs de moisi. De même, garder les vins en caisses de bois équivaut à les stocker dans une ambiance sèche.

Le mieux est de ranger les bouteilles à plat dans des casiers. Laisser la rangée du bas vide, afin de favoriser l'aération du casier.

Habituellement, on loge les vins blancs près du sol, les rouges au-dessus ; les vins de garde au fond, les vins à boire en position frontale.

TEMPÉRATURE

Elle doit être la plus constante possible. La température idéale se situe entre 10 et 12°. Le vin craint les écarts brusques, importants et répétitifs. L'hygrométrie doit être suffisante, l'humidité étant nécessaire à la conservation du vin.

Si la cave est trop humide, disposer une couche de sable ou de gravier de rivière afin qu'elle pompe cette humidité comme un buvard.

Si la cave est trop sèche (ce qui accélère le vieillissement du vin et rétrécit les bouchons), on peut disposer en son centre une bassine d'eau saupoudrée de soude caustique (pour lui éviter de croupir).

VIBRATIONS

Elles sont néfastes aux vins de garde : éviter le voisinage d'une ligne de métro ou de train, ou même une cave trop proche d'une rue à grande circulation, si vous voulez que votre vin vieillisse.

Table des matières

Imprimé en France sur Presse Offset par

BRODARD & TAUPIN

GROUPE CPI

33449 – La Flèche (Sarthe), le 06-01-2006
Dépôt légal : janvier 2006